D0416902

Daktylos - Sanat
Sanat Cephesi Dizisi / Ustalar Gençler Buluşuyor

Iç
Adnan Özyalçıner

İstanbul, Mayıs 2008
ISBN: 978-605-5968-06-9

Editör:
Efe Duyan

Tasarım:
Murad Gören

Arka Kapak Yazısı:
Murad Gören

Tasarım Uygulama:
Ekim Yelkenci

Baskı: Kayhan Matbaacılık
Davutpaşa Cad. Güven San. Sit.
C Blok, No: 244 Topkapı / İstanbul
Tel: 0212 612 31 85

Daktylos Yayınları
Şehit Muhtar Mahallesi
Süslü Saksı Sokak No: 17, Kat: 4;
Beyoğlu / İstanbul
www.daktyolsyayinevi.com
bilgi@daktylosyayinevi.com

İKİ GÜZEL KALEM

Sözlü dönemin çoğu manzum, olağanüstülüklerle dolu destanları, yarı destansı halk hikâyeleri, hep çok yukarda bir yerlerdeki insanların serüvenlerini anlatır. Bunlar hayran olduğumuz; yiğitliklerini güzelliklerini ağzımız açık dinlediğimiz, bizlere hiç benzemeyen, farklı, önemli, çok değerli kişilerdir: Kral, şövalye, şah, padişah, sultan, prens, prenses... Bilemedin vezir. Öyle ki, sanki yalnızca onları taklit etmek, alkışlamak için yaratılmış biz fanilerin ne yaşadıklarının, ne de ölmelerinin bir anlamı vardır. Çünkü o kahramanların anlamı vardır. Çünkü o kahramanları kutsayanlar olsa olsa figürasyona layık görülen pis, çirkin, yalancı, sefil, dalkavuk, hırsız, tembel, kıt zekâlı kuru kalabalıklardır.

Aydınlanmanın yazınsal anlamdaki en önemli türlerinden biri romansa, öteki de öykü. Çünkü insana doğru bakmanın, doğru görmenin, namusluca anlatmanın zamanı gelmiştir artık. Bütün "kahramanlar" iyi, kalabalığı oluşturan bütün figürasyon da kötü olmayabilmektedir çünkü. Düşünün ki, Utrillo gibi ressamların fırçalarından sokak çocukları da resmedilebilmektedir artık; hatta tablonun bir yerinden aç bir köpeğin bakışları da üzerimize dikilebilmektedir. Çok daha sonraki yıllarda Brecht adında bir sanatçı çıkıp, yedi kapılı Teb şehrini kimin yaptığını irdeleyecek, Mısır piramitlerinin harcındaki 'köle' denilen binlerce, milyonlarca adsız emekçinin kanını, gözyaşını sorgulayacaktır.

Bu yenidünya görüşü, zaman içinde müzikten mimariye yontudan edebiyata, tiyatrodan sinemaya, yaşamın pek çok alanına damgasını vuracaktır. Bizde de, 'soyula soyula çıplak, güdüle güdüle sürü'ye dönüştürülmüş insanları yazacak, çizecek, sese dönüştürecek bir sanatçılar kuşağı yetişecektir ki, bu adların en önemlilerinden biri de Adnan Özyalçıner'dir. 1934 yılında doğan Özyalçıner, kuşakdaşı olan Kemal Özer, Ülkü Tamer, Onat Kutlar gibi arkadaşlarıyla birlikte Türk yazın tarihinde derin izler bırakmıştır.

Kuşdili konuşmaz Adnan Özyalçıner; yaşama, insana dair diyeceklerini açık, net söyler. Bir yazarın olmazsa olmaz özelliği olan 'dildeki olgunluğu' yakalamış, buna ek olarak, Ülkü Tamer'in söylemiyle "kendi dilini yaratarak" yapmıştır bunu.

Bir kent öykücüsü olan Adnan Özyalçıner'in kahramanları, tam da öykü gerçekliğinin tanımına uygun 'küçük insanlar'dır. Bunu tanıklıklarla, titiz bir gözlemcilikle yapar. Kapitalizmin kent yaşamında yarattığı değişimleri, acımasızlıkları, kimi zaman çarpıklıkları büyük bir yetkinlikle dile getirir. Doğaldır ki, İstanbul'un gecekondularını, sur dibini anlatır okuruna, gezgin cambazlar. Bu genel atmosfer içinde anlatılan, ezilen insanın trajedisidir. Tıpkı, Orhan Kemal kahramanları gibi, yaşama tutunmak, onuruyla ayakta kalmak, ekmeğini bileğinin hakkıyla namusluca kazanmak isteyen, gelecekte daha yaşanası bir dünya kurulabileceğine inanan insanlardır. Kısaca, 'herşeye karşın umut'un yazarıdır Özyalçıner usta.

Çok önemli bir geleneğimiz olan usta-çırak ilişkisinden, hangi yazarlarımız nasıl yetişti kimbilir? Ancak, bu karatahtasız, tebeşirsiz okullardan biri olan Adnan Özyalçıner'in soyut okulundan yetişen Aslı Solakoğlu'nu biliyorum. Genç yazarımız bu konuda şöyle diyor: "... Yazmayı bıraktığım o kısa süreyi okuyarak, okuduklarımı anlamlandırarak, notlar alarak ve biriktirerek geçirdim. Bu zaten okur-yazar olmanın bir gerekliliği idi. Nihayet Adnan Özyalçıner'in öyküleriyle buluştum ve yeniden öykü yazmaya karar verdim."

İyi ustalar böyledir. Kendisi hiç ayırdında olmadan, dünyanın kimbilir neresindeki bir insana yalnızca okuma zevkini aşılamakla kalmaz, ona yazma virüsünü de tebelleş eder. (Kendimden biliyorum. Dış dünyanın acımasız saldırılarına kitaplardan korunağımda, bir kitap kurduna dönüşerek direnmeye çalıştığım zamanlarda, 'kendime mektuplar' yazıp yırtarak işe başlamış, sonra da anlattıklarımın pek anlatılmamış, üstelik farklı biçemler olduğunu ayrımsayınca bilinçli olarak yazmaya başlamıştım. Benim de ustalarım vardı uzaklarda bir yerlerde. Orhan Kemal vardı örneğin, Sait Faik, Vüs'at O. Bener, Sevgi Soysal, Haldun Taner...)

Aslı Solakoğlu, Adnan Özyalçıner için "Yaşama Direnci" demiş. Çok doğru. Ülkemizde sahici insandan, emekten, ezen-ezilen çelişkisinden söz açan yazarlar, dün olduğu gibi bugün de itilip kakılsa bile, kimi soylu kalemler bundan yerinmeyi bile aklından geçirmeden yazar. Kitabıyla ilgili çarşaf çarşaf ilanlar verilmesini, televizyonlarda kanal kanal dolaşıp kimi 'kazip şöhretler' gibi ahkâm kesmeyeceğini bilerek, elbette bunlara hiç de tenezzül etmeyerek yazar. Üç beş kişiye ancak zar zor okutabileceğinin önkabulüyle yazar; çünkü daha en başından öyle olması gerektiğinin bilincindedir. İlginç olan, şu toz dumandan geçilmeyen yazın ortamında, Aslı Solakoğlu gibi genç, yetenekli, duyarlı bir öykücünün, kendine 'usta olarak' böyle birini seçmesi bence. Seçtiği 5 öyküden yola çıkarak Adnan Özyalçıner'i anlatırken şöyle diyor Solakoğlu: "İkinci Arka"daki Hamal Habip'in hayata karşı aldığı o saf ve insani tavrın güzelliğini unutamamıştım. "Değişim", karakol-adliye ile polis-köpek arasına gizlenmiş gerilimin okuyanı çimdiklediği ve klasik öykü anlatımıyla Kafkayen özelliklerin öne çıktığı bir öykü olarak; "Yağma" ise, Özyalçıner'in öykü anlayışını özetleyen bütünlüğü ile aklımdan çıkmayanlardan olmuştu, diye sürdürüyor yazısını. Ustasının ta ilk öykülerinden başlayarak "tüketen-tek-tip-insan bunalımı"nı açımladığını saptıyor.

Aslı Solakoğlu'nun okuma şansı bulduğum öykülerinden benim de çıkardığım sonuç şu: Solakoğlu, artık büsbütün görmezden gelinen insanı inatla görebilen namuslu bir göz, anlatabilen dürüst bir kalem... Üstelik de başarıyla yapıyor bunu. Ustasına layık olarak. Bana göre, onun öykü kahramanlarından Tapu Dairesi'nin çaycısı Adnan Efendi nasıl günümüzde soyu tükenmeye yüz tutmuş, iyimser, saf, biraz kurnaz, azıcık haset biri ise; öykücü olarak da Aslı Solakoğlu 'ben ben' hastalığına tutulmuş kimi sorumsuz şöhretlere hiç benzemeyen taptaze bir soluk.

Kimi yazarlar, çizdikleri dünyaların özenilesi insanlarına hiç benzemeyen düşkırıklıklarıdır bana göre. Kimileri ise, 'üslub-ı beyan ayniyle insan' darbımeseline nerdeyse birebir uygun oluşlarıyla büyüler insanı. Kendini 'küçük öykücü' olarak tanıtan büyük yazar Adnan Özyalçıner ikinci gruptan. Onun açtığı yolu benimseyen Aslı Solakoğlu da öyle. Her ikisine de sevgilerle...

Lütfiye Aydın
30 Ocak 2008

NEDEN **ASLI SOLAKOĞLU?**

DEĞİŞİK BİR ÖYKÜ DÜNYASI

Okuduğum öyküler arasında "Hayata Yetişmek"i sağlam kurgusuyla yalın anlatımı açısından, "Çay Alır mısınız?"ı gerçekçi konusuyla özle biçim uyumunun anlatıma yansıyan başarısı bakımından seçtim.

"Mendillerden Bir Pazartesi", yaşam kargaşası içinde toplumsal farklılıkları, çelişkileri belirtip ustaca ortaya koyması dolayısıyla seçildi.

"Zil Çalıyor" öyküsü, diliyle anlatımındaki şiirselliği, bir de naifliği yüzünden dikkatimi çekti.

"Yok mu Duyan?" öyküsünü ise, yaşadığımız toplumsal yabancılaşmanın nasıl bir psikolojik yıkıma neden olduğunu anlatması açısından beğendim.

Aslı Solakoğlu bu öykülerinde, dille anlatım açısından olabildiğince bir yalınlık yakalamış. Düzenli kurgusu, ilginç betimleme, benzetme ve eğretilemeleri dolayısıyla değişik bir öykü dünyasına adım attırıyor okurunu.

Bu öykü dünyasının kahramanları genellikle kadınlar. Aile çevresi. Kapitalist düzenin ezdiği insanımızın özellikle kadınlar açısından, aile içinde, toplumla ana, daha çok da genç kız olarak içine düştükleri ikinci bir ezilmişliğin acı veren çelişkileri konu ediliyor. Ezilmişlik karşısında kadının karşı duruşunun umudu, avuntusu paylaşımcı, eşitçi bir geleceğe bakışının da ipuçları veriliyor. Şiirsel bir tad, simgesel bir anlatım içinde.

Aslı Solakoğlu'nun öyküye olumlu bir bakış açısı var. Bu olumluluğu geliştirerek öyküsünü sağlamlaştırmak onun elinde. O yüzden dilde sözcük seçimine, sözcüklerle bilinen deyimleri yerli yerinde kullanmaya, betimleme, benzetme ve eğretilemelerinde abartıya kaçmamaya özen göstermelidir.

Özgün bir üslup yaratmak için sözdizimini bozmak yerine kimi değişiklikler yapmak yeterlidir.

Artık basmakalıplaşmış sözcük düzenlemeleri yerine bilinen sözcükleri kendi öz sözcükleri biçiminde kullanmak onun yaratmağa çalıştığı öykü dünyasının gelişimini sağlayacaktır.

Adnan Özyalçıner

NEDEN **ADNAN ÖZYALÇINER?**

YAŞAM DİRENCİ: ADNAN ÖZYALÇINER ÖYKÜCÜLÜĞÜ

Sınıfın, okumayı en geç öğrenen öğrencisiydim. Beş buçuk yaşımın haylazlığına, inatçılığım da eklenince okumayı reddetmiştim. Nisan çiçekleri açmaya başladığında ailemin ısrarı ile o küçük kırmızı kurdele yakama konuverdi. Ödüllendirilmiştim ve gösterilen her sözcüğü, önceden bilir gibi okumaya başlamıştım.

Oysa bizi ödüllerin değil; insana olan inancımızın, hayata karşı eksilmeyen umut ve direncimizin harekete geçirmesi gerektiğine inanıyorum artık. Yaşam zaten bir ödül değil midir? Böyle düşünmeye, ilk yazdığım öyküye verilen bir ödül sayesinde başladım. Ne gariptir ki, öykü yazmaktan vazgeçişim de aynı ödül ve onun yarattığı beklentilerin boşa çıktığını sanmam yüzünden oldu. Yazılarımın sonu, bir kibritin aleviyle gelivermişti. Yazmayı bıraktığım o kısa süreyi, okuyarak, okuduklarımı anlamlandırarak, notlar alarak ve biriktirerek geçirdim. Bu zaten, okur-yazar olmanın bir gerekliliği idi. Nihayet, Adnan Özyalçıner'in öyküleriyle buluştum ve yeniden öykü yazmaya karar verdim.

Onun öykü dünyasına girmemle bu türün olanaklarının, esnekliğinin farkına vardım. Edebiyatın hayatımızdaki yerini, dönüştürücü etkisini ve yazıyor olmanın sorumluluklarını tanımlamaya başladım. Öykünün, ayrıntılarında ve sadeliğinde gizlediği, hayatın kötücül noktalarına vurup kaçan milis gücünü keşfettim. Özyalçıner öykülerine konu olan sokaktaki insanın duru ama bir o kadar da zorlu yaşamına ortak olmam, çarpık sistemin tamamını edebiyat aracılığı ile yeniden okumamı ve hayatı estetik bir bakışla sorgulamamı sağladı.

Adnan Özyalçıner, edebiyatçı kimliği ile öyküleri arasında mesafe bırakmayan yaşam çizgisiyle benim için bir model yazar oldu.

Bu kitap için öykü seçerken yukarda andığım belirleyenlerin bir arada olmasını önceledim. Ancak Özyalçıner öykülerinin tamamı, zaten bu bileşenlerden oluştuğu için oldukça zorlandım. Bu yüzden öznel gerekçelerimle karar verdim: Ezilen insan trajedisinin en yalın haliyle anlatıldığı "İkinci Arka"daki Hamal Habip'in hayata karşı aldığı o saf ve insani tavrın güzelliğini unutamamıştım. "Değişim", karakol-adliye ile polis-köpek arasına gizlenmiş gerilimin okuyanı çimdiklediği ve klasik öykü anlatımıyla Kafkavari özelliklerin öne çıktığı bir öykü olarak; "Yağma" ise, Özyalçıner'in öykü anlayışını özetleyen bütünlüğü ile aklımdan çıkmayanlardan olmuştu. "Dükkân" öyküsünü, celladından kurtulmayı başaran horozu gerçek bir karaktere dönüştürdüğü ve ölümü mitleştirdiği için önemli bulmuş; E. A. Poe'nun bahsettiği "tek etki" kuralıyla biçimlenmiş bir öykü olarak okumuştum. İlk baskısı 1963 yılında yapılan "Olsa Olsa Bir Olaydır" öyküsünün şiirsel anlatımı ise, bana göre, çağdaş öykü anlatımlarına taş çıkartacak derecede parlaktı.

Seçtiğim bu beş öykü ışığında, Adnan Özyalçıner'in ilk öykülerinin bile, bugünün "tüketen-tek-tip-insan bunalımı"nı açımladığı anlaşılacaktır. Yazındaki sorgulayıcı tutumu ve istikrarlı söylemi ile bizlere yolu açtığı için ustama teşekkür ederim.

Aslı Solakoğlu
Temmuz 2007

ASLI SOLAKOĞLU ÖYKÜLERİ

ÇAY ALIR MISINIZ?

Topuğuna kadar inen eteğini geçirdi üzerine, ardından enine çizgili kazağını. Ellerini ovuşturarak ısınmaya çalıştı. Sobayı yakması için kocasını dürtükledi. Oysa ağırlığıyla yatağa gömülmüş adamın yarı aralık gözlerinden uyku akıyordu. Akşamdan kalma nefes kokuyordu oda, bir de anason. Pencereyi açmak için elini uzattığında, daha güçlü bir el yakaladı bileğinden. "Donduracak mısın be kadın! Git işine hadi, geç kalacaksın..." Tavanda toplanmış öfkeli bir buluttan yumruk büyüklüğünde dolular boşanıyordu üzerine: Kocasının kelimeleri... Öksürüklerle bedeni sarsılıyordu adamın. Hırıltılı bir sesle konuşuyor, ne dediği de pek anlaşılmıyordu aslında. Ortalıkta gezinmeye başlayan iki çocuğun da gözü açılmamıştı henüz. Kanepeye büzülmüş; masaya yerleştirilen peynir, ekmek kokusuna çevirmişlerdi burunlarını. Bu sırada anneleri paltosunu giymiş, başörtüsünü düzeltiyordu.

Her sabah evden çıkarken söylediklerini tekrarladı. Herkesin ayrı görevi vardı. Çocukların, babalarına göz kulak olması gerekiyordu; suyu, mendili eksik edilmemeli, ne derse yerine getirilmeliydi. Telefonun altına sıkıştırdığı kâğıdı gösterip, gerekirse öğrettiği gibi onu aramasını büyüğe söyledikten sonra kenarlarından açılmış çizmelerini ayağına geçirdi. Vurdu kapıyı, çıktı.

Sabahın erken saatlerinde bankanın önünde birikmeye başlayan kalabalığın ağzından, soludukları havanın soğuğu tütüyordu. Memurlar da, bu etten duvarı yararak içeri girmeye çalışıyordu. Güvenlik görevlisinin her iki tarafı da idare etmeye çabalayan telaşı, hem bankanın içini hem de dışını dolduruyordu. Giremezlerdi. Yasaktı. Oturacak yerleri yoktu hepsi için. Soğuktu, evet. O da biliyordu bunu, ama içeri almaya yetkili değildi. Dışarıda, kendi aralarında sıraya girmelerini önererek kapatıyordu kapıyı. Kalabalığın ağzındaki buğu küfüre dönüşüyor, kapıya çarpıyor, sonra kendilerine geri dönüyordu. Saat dokuzu gösterdiğinde aynı kalabalık içeriye akın etmişti.

Toz alması, silip süpürmesi biten Nazife, demlenmiş çayı önce müdüre götürmekle görevliydi. Bu hiç şaşmayan bir düzen içinde yapılırdı. Müdürden sonra üst katta çalışanlar çaylarını yudumlamaya başlardı, sonra alt kattakiler... Onların da çayını sürekli tazelemek zorunda kalırdı. Bardağın dibini göremezlerdi, ama masalarının bir ucunda çay bardağını görmek isterlerdi, dolu ve sıcak. Akşama kadar Nazife'nin adı çınlardı alt katta. Alt kattakileri daha çok severdi. Çay ocağı aşağıda olduğu için değildi bu sevgi, başka bir yakınlık duyardı onlara. Müşteri olmadığı zamanlarda o daracık odadan utana sıkıla dışarı çıkıp yüzünü gösterir, masası en yakın olan Hülya Hanım'ın yanına oturur, kalın kaşlarının altından olanı biteni seyrederdi. Gözünü bilgisayar ekranından ayırmayan Hülya Hanım, bazen Nazife ile konuşurdu. Sorular sorardı. Kocası iş buldu mu, çocuklar büyüdü mü? Cevaplar aynıydı, sorular da değişmezdi. Bunu bilirdi Nazife, yine de birileri ile konuşuyor olmaktan zevk alırdı. Neşeyle cevaplar, anlatırdı. Bu yakınlık tüm yorgunluğuna değerdi.

Yine böyle bir konuşma sırasında uzun uzadıya çalan telefon ziline kulak kesildi Nazife. Bu telefon konuşmaları çoğunlukla, "Bir saniye efendim..." li cümlelerle başlar, anlamadığı hesap isimleri ve Nazife'nin ağzını açık bırakan rakamlarla devam eder, teşekkürle biterdi. Bu sefer, Hülya Hanım'ın almacı kulağına götürdükten sonra ekrana bakmayan gözleri ve susan ağzı hemen fark edildi. Nazife'ye bakıyordu. İkisi de heyecanla bekledi. Bir saniye sonra telefon Nazife'nin kulağındaydı. Yüreği, dörtnala koşturan bir at gibiydi. Arayanın kim olduğunu düşünürken, aklına gelen kötü düşünceleri de kovmaya çalışıyordu. Çocuklara bir şey mi olmuştu acaba? Yoksa? Düşünmeye devam ederken telefonun diğer ucunda büyük oğlunun sesini duydu. Aklına getirmiş olmasına rağmen şaşırdı. Bu çocuk ilk kez arıyordu burayı, üstelik arayabiliyordu da. Demek ki, o küçücük elleri bilmediği bir işi yapmaya zorunlu kalmıştı. Şaşırdı. Telaşlandı. Hülya Hanım'ın, 'hadi çabuk ol' bakışları altında ezilen bedeni küçüldükçe küçülüyor, büzülüyordu. Oğlunun sesine kulak vermiş, gözleri fal taşı gibi açılmıştı. Bakışları büyüdü. Deli bir tay gibi koşturan kısacık zaman dakikalara ulaştı. İki eliyle sımsıkı kavradığı telefonun kordonu yağlı bir ip gibi kaydı, düştü yere. Hülya Hanım söylenerek aldı telefonu. İşte buraya kadardı. Ne yapacaktı şimdi? Gitse gidemezdi. İzin vermezlerdi. Verseler de elinden ne gelecekti? Bunun bir gün olacağını biliyordu aslında, ama ne yapacağını bilmiyordu. Bunu neden düşünmemişti hiç? Dikildi kaldı oracıkta, gözleri doldu. Kolları yığıldı iki yana. Kıpırdayamıyordu. Hülya Hanım'ın sesiyle kendine geldi. Soruyordu. Kimdi o çocuk, oğlu muydu, ne olmuştu, nesi vardı Nazife'nin?

Aradan bir saatten fazla zaman geçmişti. Arabadaydılar. Bankadan oturduğu semte gitmek tam bu kadar sürüyordu işte. Her sabah ve her akşam. Üstelik otobüs beklerken geçen zamanı ve bedenini taşıyan şişmiş ayaklarının sızısını da hesaba katınca, bu yol bitmek bilmezdi. Ama artık iyi şeyler düşünüyordu. Ne iyi kadınmış bu Hülya Hanım, diyordu içinden. İşini gücünü bırakmıştı onun için. Bu kadar çok seviyorlardı demek çaylarını ya da belki o kısacık konuşmalar bunda etkili olmuştu, kim bilir... Sadece iyi şeyler düşünmeye çalışıyordu. İyileşecekti kocası. Çalışabilecekti. Çocuklar okula başlamadan eve para girmesi de iyi olacaktı; önlüktü, kitaptı, defterdi derken, bir de arkadaşından duyduğu kayıt parasını düşünür olmuştu kaç zamandır. Gülümsedi Nazife ve sanki bütün dünya içine doldu. Kış ortasında tatlı bir bahar esintisi yaladı yüreğini.

Hülya Hanım'ın gözü yolda, ama kulağı Nazife'deydi. Eve az kalmıştı. Çamurun geçit vermediği, engebelerle dolu daracık arka sokaklara girmişlerdi. Yüzü mü asılmıştı Hülya Hanım'ın? Arabayı fark eden çocukların arkalarından koşmaya başlaması mı canını sıkmıştı acaba? Yolun sonuna doğru ilerlerken koşturan çocukların arasına diğerleri de katılmıştı. Nazife'ye seslenıyorlardı. Hülya Hanım, şimdi de buna şaşırıyordu herhalde. Oysa burada herkes birbirini tanırdı. Gündüzleri sadece çocuklar kalırdı mahallede. Sokakları süslerlerdi; yaz, kış demeden oynarlardı. Akşamları evlerin ışıkları birer ikişer yanmaya başladığında önce kadınlar gelirdi; çoğunlukla temizlikten. Belleri bükülmüş, ikiye katlanmış görüntüleri ile kimin ne kadar yorulduğunu; ayaklarını sürüdükleri yolda kalan izden de ne kadar uzaktan geldiklerini anlamak zor olmazdı. Kocalar ise daha geç gelir, yemek masasından kalkar kalkmaz, kahvenin yolunu tutarlardı. Kimisi hep kahvedeydi zaten. Bir Nazife'nin kocası çıkmazdı gün boyu evden, çıkamazdı.

Hülya Hanım, arabasını park etti. Ayağını dışarıya atacağı sırada tekerleklerin rengini değiştirmiş çamuru gördü, duraladı. Bakışlarını, henüz bir haftalık ayakkabısının çizilmemiş derisinde, solmamış cilasında gezdirdi. "Ben inmeyeceğim, sen de çabuk ol..." dedi. Nazife'nin aklı zaten kocasındaydı, koşarak girdi kapıdan içeri. Adam yere serilmiş, başına çömelmiş çocuklara gözünü dikmiş, öylece yatıyordu. Önce çocuklarını kollarından çekiştirerek dışarı çıkardı. Hülya Hanım'ın şaşkın bakışları arasında karşıdaki kahveye götürdü onları. Dumandan kimsenin diğerini göremediği küçücük dükkânın çay dağıtan çırağına bir iki kelimeyle çocuklarını emanet edip döndü eve. Kocasının üzerindeki çizgili pijamaları çıkarmayı denedi önce. Sağ kolundan itekleyerek bu büyük bedeni yana yatırdı. Bir kolunu sıyırdı pijamanın, sonra diğerini. Ne de ağırmış, diye düşündü. Pijama altını çıkarmaya zaman kalmayacaktı. Hülya Hanım'ın sesi duyuluyordu. Çağırıyordu, işe geç kalıyordu, çabuk olmalıydılar. Bu arada, kocası inleyerek elindeki kanlı mendili gösteriyordu. "Tamam, gidiyoruz..." diyordu Nazife. Kocası boğulurcasına öksürüyordu, nefes alacak hali kalmamıştı. Bu koskoca beden çökmüştü artık. Ne yapsa, onu yattığı yerden kaldıramıyordu. "Hadi, bekliyor dışarda, bırakma kendini, hadi..." Adam, aralık gözlerini Nazife'ye doğru çevirmişti, "Ölüyorum kız," dedi. "Ölüyorum..."

Arabadaydılar. Hülya Hanım'ın ekşiyen yüzü, giderek büzülen dudakları, trafiğin içinden hızlıca akmaları Nazife'ye neler düşündürmüştü... Ne iyi kadın, diye geçiriyordu içinden. İşine geç kaldığından sinirleniyor herhalde. "Bizi hastaneye kadar götürüyor baksana," diye fısıldıyordu kocasının kulağına. Oysa adam, yarı aralık gözleriyle ancak bir sis perdesinin ardından bakar gibi çevresini seçebiliyordu. Duymuyor ve konuşamıyordu. Sadece sarsılarak öksürüyordu.

Hülya hanım, onları hastanenin acil kapısına bırakmıştı. Hangi yöne gideceğine karar veremeyen Nazife, devrilmemesi için bir eliyle kocasının kolundan tutmuş, diğer eliyle de belinden kavramıştı. Tam kalabalığın biriktiği kapıya doğru bir hamle yaptığında, arkasında bıraktığı Hülya Hanım'ın sesiyle duraladı. Döner dönmez omuz hizasındaki bakışlarıyla karşılaştı. Ufak tefek bedenini, tamamen saklamak ister gibi kamburuna gömmüştü Hülya Hanım. Konuşmuyordu. Uzaktan gelen bakışlarıyla ikisini de tepeden tırnağa süzdü ve Nazife'nin, kocasının belini saran topak olmuş avucunun içine bir miktar para sıkıştırdı. Göz kenarlarında kısa iki çizgi belirdi ve sanki bakışlarından incecik bir ışık geçti. Başını yere eğmişti Nazife. Kapattığı gözlerini açamıyordu. Tek kelime söyleyemedi ve zaten buna fırsat da kalmadı. "Geçmiş olsun," dedi ve koşarcasına uzaklaştı kadın. Ne iyi kadındı bu Hülya Hanım!

Nazife, ertesi sabah işe geldiğinde her zamanki düzen içinde yapacaklarına başlamıştı. Güvenlik görevlisinden sonra içeriye ilk girendi. Masaların tozunu aldı, yerleri sildi, çayı demledi... Memurlar da gelmeye başlamıştı. Gözü Hülya Hanım'daydı. Gelir gelmez soracaktı kocasını. Herhalde çok merak etmiştir, diye düşündü. Müdürün içeri girişi ile birlikte, beklemeden çayı doldurup odasına çıktı, masasına bıraktı. Hiç konuşmazlardı, yine konuşmadılar. Sonra üst kattakilerin çaylarını dağıttı. Aşağıda müşteriler birikmeye başlamıştı bile. Önce alt kattaki memurlara çay dağıtmak isterdi aslında; kimse gelmeden sıcacık yudumlasınlar diye, ama önceden kurulmuş düzeni de bozamazdı. Hem ona ait bir düzen değildi bu, uyması gereken bir kuraldı, böyle söylenmişti. Aşağıya iner inmez ilk çay bardağını Hülya Hanım'ın masasına bıraktı; başını kaldırdı, gözlerinin içine bakmak istedi, ama çok işi vardı. Bugün biraz geç gelmişti. Zaman geçirmeden masasının başına geçip telefonları cevaplamaya başlamıştı. Öğlene doğru arayanlar azalıp işler seyrekleşince yanına gider otururum, diye düşündü. İşte o zaman sorardı Hülya Hanım kocasını. Anlatırdı o da. Ölmeyecekmiş, derdi sevinçle, hatta çalışabilecekmiş, iyileşecekmiş kocam... Bunları aklından geçirirken işini de bitirmişti. Odasına girip kendisine gelecek çay isteklerine çevirdi kulağını. Bekledi. Belki yarım, belki bir saat geçmişti, çalmıyordu telefon. Bugün işlerin yukarda da yoğun olduğunu düşündü. Gidip boşları almalıydı. Nazife'yi görenler, dumanı üzerinde tavşankanı çaya özenirlerdi belki. Belki kocasını da soran çıkardı.

Öğlen yeniden demleyecekti çayı. Sabahki içilmezse atılacak, yazık olacaktı. Bunu hiç istemezdi Nazife. Üzülürdü çöpe giden her şeye. Yukarı çıktı, önce müdürün odasına girdi. Misafirleri vardı, kalabalıktı. Tam zamanında orada olduğunu geçirdi içinden. Masaya yöneldiğinde sabah bıraktığı bardağın dolu olduğunu gördü. Buz gibi çay bardağının soluk kırmızı rengine ağız değmemişti, hatta dokunulmamıştı. Duraksadı, ardından bardağı aldı, tepsiye koydu. Müdürden bir ses bekledi. Bir süre dikildi olduğu yerde, çay isteyen olursa diye. Müdür, hızlı bir hareketle başını kaldırdı. Ne istediğini sorar gibi yukardandı bakışları. Nazife, hiçbir şey demeden çıktı odadan. Diğer masaların boşlarını toplamaya yöneldi.

Merdivenlerden aşağıya inerken bütün bardaklar tepsideydi ve hepsi doluydu. Buz gibi çay ve bardakları... Alt kattakilerin zaten hiç boşalmayan bardaklarını da diğerlerinin yanına alırken, ikircikli bir tavırla sordu herkese, "Tazeleyeyim mi?" Bugün hiç kimse çay istemiyordu. Nesi vardı insanların? Neden çay içmiyorlardı? Başını, omuzlarının arasına gömerek odasına gitti.

Öğlene doğru bankanın içi sakinleşmişti. Kaç saattir çay kokusuyla Nazife de demlenmişti. Canı sıkılmıştı. Hülya Hanım'la konuşmanın tam zamanı olduğunu düşündü. Hem arayanları da azalmıştı kadının. Çocuklarını soracaktı, sonra kocasını. O da anlatacaktı, çıkarıp doktorun yazdığı reçeteyi gösterecekti. Tüberkülozmuş, diyecekti. Tüberküloz... Hatta bu yüzden gece uyuyamadığını, durmadan düşündüğünü, buradan erken çıkabildiği zamanlarda - bu, olabilir miydi acaba?- evlere temizliğe gitmek istediğini, hafta sonları bunu zaten yapacağını söyleyecekti. Belki Hülya Hanım, "Bana da gel," derdi. Çünkü öğlen arasında bankadaki memur kadınlar bir araya gelip çocukların bakıcılarından, eve temizliğe gelen kadınlardan dert yanarlardı. Hem Nazife'nin bu işlere eli çok yatkındı. İçine bir aydınlık doldu. Dünya gibi. Yerinden kalkıp Hülya Hanım'ın masasının yanındaki koltuğa oturdu yavaşça. Kapının kapanmasına az kalmıştı. Herkes, aceleyle öğle yemeği siparişlerini veriyordu. Uzun bir süre oturdu Nazife. Gözleri kıpırdamıyordu ve konuşmuyordu kadın. Yine çok işi vardı, başını kaldırıp Nazife'ye bakacak zamanı bile yoktu. "Neyse!" diye iç geçirdi, kalktı masadan. Odasına gidip çay koydu kendisine. Sabahtan demlediği çayı ilk içendi. Çantasından ekmeğini, peynirini çıkardı; yemeğe koyuldu.

Bir süre sonra aşağıdaki herkesin toplu olarak yukarı çıktığını gördü. Nadiren de olsa öğlen toplantıları yaparlardı. Çok işleri vardı bu çalışkan insanların! Hep beraber yemeklerini yer, hem de toplanırlardı işte böyle. Daha sonra herkes sigara ve çaya saldırırdı. Taze olsun isterlerdi. Bu yüzden zaman kaybetmeden yeni çay demledi. Oturup beklemeye başladı. Telefonu çalmıyordu. Bu öğlen sessizliği Nazife'yi tedirgin etmeye başlamıştı ki, müdür aradı. Gülümseyen ağzıyla, "Buyrun..." dedi. Hayır, müdür çay istemiyordu sadece onu yukarı çağırıyordu. Hiçbir şey düşünemiyordu. O yukarı çıkarken, diğerleri de topluca aşağı iniyordu. Çay istemiyorlardı. Kimse çay istemiyordu.

"Otur," dedi, müdür Nazife'ye. Şaşkınlıkla ayakta dikilmeye devam ediyordu. Tozunu aldığı bu deri koltuklara oturmaya cesaret edememişti hiç. Bir süre daha ayakta durmaya devam edince, hiç üstelemeden konuşmaya başladı müdür. Kocasını sordu. Nazife'nin içinde durulan dere, kendine yeni bir yatak bulmuş gibi akmaya başladı. Başını kaldırdı. İşte beklediği an gelmişti. Hem de müdürü soruyordu. Tam anlatmaya başlayacakken araya müdürün kalın, tok sesi girdi. "Tüberküloz mu?" diye sordu. "Evet, iyileşecekmiş kocam, ben de üzülüyordum müdür bey, çocukların..." Söyleyecekleri yarım kalmıştı, biriktirdikleri... Müdür başlamıştı konuşmaya. Elinde küçük, yırtık, topaklaşmış kâğıtlar vardı. "Bak, oylama yapıldı şubede. Arkadaşlar istedi bunu. Gördün mü? Kâğıtları?"

Üzerinde 'gitsin' yazan minik beyaz kâğıtları masanın üzerine dağıttı ve Nazife'ye doğru iteledi. Alıp almamak arasında duraksadı Nazife. 'Gitsin' ne demekti anlayamadı. Belli ki toplantı yapmışlardı, ama Nazife ne anlardı ki bankanın işlerinden. "Oyladık," dedi müdür. "Bana da söylemesi düştü. 'Gitsin' dediler senin için Nazife. Şimdi Hülya'nın yanına in, ilişiğini kesiyor senin. Hadi, geçmiş olsun kocana..."

Ocak-Temmuz 2004

HAYATA YETİŞMEK

Kış geldi.

Yetişmeye çalışıyorum. Adımlarına. Yollar kapanıyor. Bulutun parçaları gibi hızla iniyor. Kar. Şapkamın kenarında birikenleri avucumun içinde küçültüp top yapıyorum. Sırtına fırlatıyorum. Dönüp bakmak bir yana, sendelemiyor bile. Benden uzaklaşan bir gölge o.

Yetişemiyorum hayata.

Boğucu bir gün. "Şu yağmur bir yağsa da, rahatlasak..." diyor annem. Annesinden öğrendiği ivecen bir tavırla atasözleri iliştiriyor ağzının kenarına. Anadolu'nun ortasında boy vermiş. Annem de, sözler de. Böylece üç geçkin kadın gibi oturuyoruz yaz akşamları.

Üç geçkin kadınız. Pencerenin sabun kokusundan saat başı hızla geçen vagonlara, tanıdık bir yüze rastlama umuduyla bakıyoruz. Sadece ben, kırmızı yüzlü bir kız çocuğu görüyorum. Burnu beyaz ve cama yapışık... Akşamın evlere çöktüğü hızda giderken tren, bakışlarımız buluşamıyor çocukla. Annem atılıyor yine, "Yağsa şu yağmur..." Sonra, oymalı ahşap büfenin yaldızlı kulpuna avuç içlerini sürüyor. Soğukluğunu tenine geçiriyor. Abimin gülen fotoğrafına doğru yaptığı her hamlede gözleri buğulanıyor. Uzak bir toprağın nemi karışıyor yüzüne.

"Yağmur, yağsana yağmur..."

Havanın kararmasıyla pencereden televizyon

ekranına çeviriyoruz bakışlarımızı. Binalar yerle bir. Yıkıntıların üstünde gri bir bulut. Tüten sadece şehir değil, yanık insan bedenleri. Koşuşturan, yüzleri korkuya gecikmiş insanlar. Bol cepli yeleğinden eski yaşamlar sarkan bir adam, elindeki fotoğraf makinesi ile kirli yüzünü kapatıyor. Makinenin çıkarttığı ses odamızın içinde yankılanıyor. Seslerin arası kapanıyor. Adam, kum-beton karışımı bir tümseğe yaklaşıyor. Boynu, gelincik açmış bir kız çocuğuna... Fotoğrafçı çıkıyor görüntüden, çöl kıyafetli bir askerin namlusunu doğrulttuğu küçük bir bedene yaklaşıyor her şey. Yaklaşıyoruz. Tozlu saçları arasına gizlenmiş kurdeleyi, kırık parmaklarıyla kavramış kız çocuğuna: Kırmızı.

Oysa her yer gri, her yer ölüm.

Annemin bakışları hâlâ vagonlarda. O vagonlar, yüreğine döşenmiş rayların üzerinden kayıp gidermiş gibi tedirgin. Eli kucağında, eli kendine kenetli. "Yağsa, rahatlayacağız..."

Yağmıyor yağmur. Geçiyor yaz. Serinlemek için sonbahara sığınıyoruz, yine üçümüz. Sarı badanalı evin bahçesinde boy vermiş söğüdün gölgesindeyiz. Ne masa, ne sandalye. Battaniyeyle güzellemişiz toprağı. Ayaklarımızı altımızda toplamışız. Oturuyoruz.

Hatırlamıyorum: Bir işim yok mu, annem emekli olmuş mu, abim nerde, anneannem neden bizde? Hatırlamıyorum geçen seneyi. Hatırlamıyorum, neyi bekliyoruz yaz boyu pencere kenarında ve baharda bahçede?

Kış.

Yetişmeye çalışıyorum. Adımlarına. Yollar kapanıyor. Bulutun parçaları gibi hızla iniyor. Kar. Şapkamın kenarında birikenleri avucumun içinde küçültüp top yapıyorum. Sırtına fırlatıyorum. Dönüp bakmak bir yana, sendelemiyor bile. Benden uzaklaşan bir gölge o.

Yetişemiyorum hayata.

Sobanın üzerindeki limon kabuğundan yayılan mayhoş kokuyla diriliyoruz, üç geçkin kadın. Üçümüzün uykusu da derin. Ayaklarımızda kırçılı tenimize batan anneannemin ördüğü yün çoraplar. Göz kapaklarımız aralandığında, ellerimiz hemen ayak bileklerimize koşuyor. Kaşı kaşı bitmez bir huzur var evde o kış.

"Kış ya da yaz, değişmeyen sadece trenler," diyorum anneme: Vagonlar dolu, vagonlar hep insan. Kar, annemin yüzüne yağıyor bu sefer; donuk bir suskunluk kaplıyor odayı. Neyse ki, fotoğraftaki abim aynı yerden izliyor bizi!

Bol şekerli ve falı üstünde kahvelerle karşılıyoruz geceyi. Gelecekler biçiliyor bana o fallardan, tam bedenime uygun. Ben oralı değilim; annem, "Ayaz geçse de artık, rahatlasak..." diyor, arada.

Arada kömür getiriyorum dışardan, ayazla beraber. Sonra televizyonun uzak renklerine gömüyoruz aklımızı. O haberden bu habere koşan akşamlarda çıldırıyor o renkler: En çok kırmızı, hep kırmızı. Birinde, uçaktan el sallayarak inen başkanın ayaklarını ısıtan kırmızı halı; diğerinde, savaşa yürüyen askerlerin soğuk kırmızı parmakları. Başkasında, bir kadın: Yüzü gelincik tarlasına dönmüş ölü bebeği sarkıyor kucağından. Haykırıyor. Kolları arasında taşıdığı cansız küçük bedeni sallıyor, hırpalıyor; ama hareket etmesini sağlayamıyor. Sonunda fırlatıyor bebeğini kameraya doğru. Seyreden herkese. Hayata.

Her yer kırmızı, her yer ölüm.

Böylece geçiyor kış. Geceleri, kendimize büzülerek ve kendimizden taşırarak günleri... Sadece annemin elleri kucağından ayrılmıyor, dudakları da kahvesinden. Sanki suyuna susamış bir kuyu annem, o kış. "Şu ayaz bir geçse..." diyen sesiyle...

Ayaz geçiyor. Bahar dalları kaplıyor pencereleri. Kiraz çiçekleniyor ağırlığınca, bembeyaz. Gözlerimizi vagonlara dikiyoruz yine. Dirseklerimiz pervazda, tanıdık bir yüze meraklanıyoruz o bahar da. Sadece ben; kırmızı yüzlü, burnu cama yapışık o küçük kızı görüyorum. Annem oralı olmuyor. Bakışı abimin fotoğrafına çevrili. Gülen yüzün altındaki yazıyı okuyor her seferinde: Türk Tabur Görev Kuvveti, Bahar 1999, Bosna.

Hatırlamıyorum: Bir işim yok mu, annem emekli olmuş mu? Anneannem hayatta mı? Hatırlamıyorum geçen seneyi. Hatırlamıyorum, neyi bekliyoruz kış boyu soba yanında ve baharda bahçede? Sadece tek bir renge boyanıyor hafızam. Günden güne.

Peki, abim nerde?

Ağustos 2006 /
Damar Dergisi, Aralık 2006, Sayı: 189"

MENDİLLERDEN BİR PAZARTESİ

Pazartesi. İnsanlar, birbirlerine dokunmadan yürüyor sokaklarda. Salgın bir hastalıktan kaçar gibi yağmurluklarına gömülmüş, bakışlarını kaldırım taşlarına dikmiş, dalgın bir yavaşlıkla işlerine yollanıyorlar. Kimi, dolmuşta alamadığı para üzerinin hesabını tutuyor; kimi, yaklaşan bayramda kentte bulunmamayı, eşten dosttan, sıkıcı ziyaretlerden kaçmayı düşünüyor. Kimi, yanından geçtiği işportacıya laf atarken, diğer yandan da adamın sattığı balonlardan çocuğuna bir tane alsa haftalık hesaplarının nasıl değişeceğine üzülüyor. Bir başkası trafiğe dalıyor, arabaların önüne kedi gibi zıplayan mendil satma telaşına düşmüş çocukları sayıyor, bir daha sayıyor ve bir türlü olması gereken toplama ulaşamıyor; hiç sekmeyen akşam dayakları için bulduğu bahaneye seviniyor. Bir kadın, o çocukların birinden mendil alırken adını soruyor, yaşını da, ama cevap alamıyor. Gülümsemesini orda bırakarak bu çocukların doğum günlerini bilip bilmediklerini düşünüyor ve yarına hazır etmesi gereken hediyeyi almak üzere uzaklaşıyor. Kimi, telefonu kulağına yapıştırmış, heyecanlı bağırışlarla sokağa konuşuyor, ne için Ankara'ya geldiğini, hangi otelde kaldığını, mecliste hangi vekille işi bağlayacağını haykırıyor. Uzaktaki biri, giderek kararan havadan kaçmak ister gibi vitrinlerin renkli ışıklarına sığınıyor. Burnunu cama dayayarak iç geçiriyor, sevgilisine ortadaki pembe kazağı hediye edebilmeyi düşlüyor. Düşleriyle otobüsü kaçırıyor. Az önce mendil alan kadın ise, tezgâhtar kızla pazarlık yapıyor şimdi ve artacak üç beş milyonla yarın akşamki misafiri için pastaneden tatlı almayı umuyor. Ama sonra doğum günlerinin barındırdığı acıya dönüşen hüznü anımsıyor. Yarınki kutlamanın da farklı geçmeyeceğini biliyor. Kolunun altına hediyeyi sıkıştırıp eve kadar yürümeye karar veriyor.

Salı. Adamın gözlerinden taşan huzursuzluk masada toplandı. O kadar uzun sürmüştü ki sessizlik, yemekler bile soğumuştu. Tabağında yenmeyi bekleyen köfteleri üst üste sıralamış, pilavı diğer köşede topaklaştırmıştı adam. Domatesler limon suyuyla neşelenmiş, iki damla halis zeytinyağı ile cilalanmıştı, ama... Onlar da, canı sökülmüş iki zayıf domates dilimi gibi karşılıklı susuyordu işte. Kaç dakikadır... Onca hazırlığa değmemişti. Tek lokma yemiyordu. Yağmuru seyrediyor, sonra bir şeyler arar gibi boşlukta takılı bırakıyordu bakışlarını, daha sonra masaya doğru indiriyordu başını ve susuyordu. Tabakların arasına sıkışmış, mavi kurdele ile süslenmiş paketten gözlerini kaçırıyordu. Keşke hiç söylemeseydi paketin içinde ne olduğunu ve satıcı kızın pazarlıkta üstün geldiğini. Değiştirme kartının hediyenin etiketine bağlı olduğunu da söylemeseydi keşke. Hayatında herhangi bir şeyi değiştirmek için kılını kıpırdatmayan bu adamın, hediyesinin bir büyük bedenini almaya gideceğini nasıl düşünebilmişti ki, hayret ediyordu kendisine şimdi. Yaşadıkları her durum aynen koruyacaktı kendini, çünkü hiçbir şey konuşulmayacak, hiçbir karara varılmayacak, hiçbir şey derlenip toparlanamayacaktı. Onu buraya çağırmak da işe yaramayacaktı, hediye de. Oysa doğum günlerinin bir anlamı olmalıydı. Yeniliklere açılmalıydı o kapı. Açılmıyordu paket. Saate bakıyorlardı beraberce ya da televizyonun kendilerine yansıyan renkli ışığında kaybediyorlardı tüm kelimeleri. "Eline sağlık," diyecek kadar ileri gitmesinden çekiniyordu artık. Kulaç atmadan karşıdaki adaya varmak olurdu bu. İçindeki adaya. En azından deniz suyu yutmalıydı insan, tuzdan gözleri yanmalıydı, köftenin yağı dudak kıvrımlarından akmalı, pirinçler diş aralarında kalmalıydı. Oysa masa hazırlandığı gibi duruyordu. Salata tabağına da dokunulmamıştı. Ekmek sepetine de. Sadece bulanık süt rengine boyanan ince uzun bardak boşalıp doluyordu. Ve tatlıya hiç sıra gelmeyecekti.

Çarşamba. Saçlarını rüzgâra bırakmış. Koltuğunun altına sıkıştırdığı paket ile bulvarın en kuytu köşesinde ilerliyor kadın. Bacakları uzamış, kırkayağı andıran yeşil üst geçitlerden geçiyor. Tüp geçidin içinde satılan, sırlanmış işporta mallarına gözü takılıyor. Rengârenk, taşlı-tokalı kemerlerin; dört pille çalışan on milyonluk mini spor arabaların; ne alırsan bir milyona çağrısı ile kutuya dizilmiş minik Çin mallarının dünyasından çıktığında bulutların dağıldığını görüyor. Düşünüyor: Bunlardan bir tane almış olsaydı, ayaklarının onu götürdüğü mağazada iki gün öncesinden kalan tartışmaya devam etmek zorunda kalmayacaktı. Düşünürken güneşe gülümsüyor, usuldan ısıtan güneşe. Yürüyen merdivende, kalabalığın içinde bedenine açtığı minicik alandan sıyrılarak rahatlıyor. Bir saniyede... Hayatın hızına takılıyor aklı. Her şey bir saniyede değişiyor sanki artık. Gözünü sokaklara çeviriyor, kırık kaldırım taşlarına. Dünkü yağmurdan iz kalmamış. Ayakların taşıdığı çamurlar, çöpler, kâğıtlar, yapraklar silip süpürülmüş ve yenileri yuvalanmaya başlamış köşelere. Her günün çalışkanları, erken erken, kirden ve eskilerden arıtmış sokakları. Çöp varillerinden çöp arabalarına ve oradan da Mamak sırtlarına taşımışlar. Nihayet mağazaya ulaşıyor. İsteksizce kolunun altındakini satıcı kıza uzatıyor. Dudaklarını ısırdığını kimse görmüyor. "Bu gömleği alın, paramı geri verin." Aralarındaki suskunluk büyüyor. Bir süre sonra, satıcı kızın ağzından hoyratça savruluyor sözcükler. Hediye geri alınmıyor. Zamanı durduruyor kadın. Paketi kucaklayıp aceleyle çıkıyor, sokağa atıyor bedenini. Uzaklaşıyor kendinden.

Perşembe. Yarı aydınlık odanın içinde dört döndü adamın ayakları. İçinde yabani at sürüsü gibi koşturan konuşma isteğini dizginlemedi. Ezberindeki numarayı tuşladı. Söyleyeceklerini tekrar etti yeniden. İkinci çalışta açıldı telefon. Kadına "merhaba" demeden, nasıl olduğunu bile sormadan konuşmaya başladı. Gökyüzünden döküldü kelimeler ve kadının kulağında birikti. Pazartesinin kalabalığından düşen bir rengi anımsadı kadın. Karnını doyurduğu esnaf lokantasını... Bayramda sevindirilecek çocuk görüntülerine aldırışsız, etin yağlarını pideyle sıyıran yanındaki adamı ve adamın koyulaşan sesini... Ahize kulağındaydı hâlâ. Düşünüyordu: Pazartesi yiyip susayan, Salı bekleyip susan... Her şeyin, sokaktakiler gibi alınıp satılabildiğine inanan bir adamın siyaha çalan sözcüklerini dinliyordu. Konuşma sırası ona geldiğinde, bildiğini söyledi kadın: Salı gecesi bitmişti. Ömür de bitmiyor muydu zaten!

Cuma. Odadan odaya geçiriyor paketi kadın. Yerini beğenmeyen misafir gibi görüyor. Dayanamıyor. Evinde bulunmaması gereken bir eşyanın gün geçtikçe çoğalan ve her yere sinen kokusuna burun tıkıyor. Ama nafile! Midesi yanıyor ekşiliğinden. Paketi, koltuğunun altına sıkıştırıp dışarı çıkıyor. Leş yiyicilerden bile sakınmadan, sokakların baş döndüren hızına atıyor aklını. Noktalansın ve yeniden kurulsun istiyor o cümle. Kurusun ve yeniden kanamaya hazırlansın istiyor içindeki yara. Adımlarını dikkatlice basıyor. Yağmur sonrası taş altlarında saklanan suyla kirlenmek istemiyor bir kez daha. Bir kez daha denemek istiyor ve aynı satıcı kızın gülmeyen yüzüne doğru ilerliyor. Parasını alamazsa, gömlek yerine kazak alabilmeyi düşünüyor, ama vazgeçiyor sonra. Haksızlık yapmak istemiyor, ne pazartesiye ne de salıya. Her anı, yaşandığı yerde ağırlığınca kalsın istiyor. Gömlek olmazsa kazak da olmasın, köfteler yenmezse tatlı da tabaklarda beklesin istiyor. Mağazanın pembeli vitrini önünde duruyor ayakları. Karşısındaki mankenler gibi donduruyor kendini. Çok sürmüyor, derin bir uykudan uyanır gibi hareketleniyor bedeni tekrar. Vazgeçiyor. Yeşil tüplerden geçmeye başlıyor. Yeşil hayatlardan. Sağlı sollu Çin mallarına dalıyor bakışları. Dokunmak istiyor. Eskiyi yeniye devşirmek ister gibi dokunmak... İkiye ayrılmış, bantlarla çantaya dönüştürülmüş karton kutunun içindeki erkek gömleklerinde karar kılıyor. Sert dokularından eline bir sıcaklık yayılıyor. Hiç düşünmeden koltuğunun altındaki paketi açıyor, daha çok yanıyor parmak uçları. Ağzında sakızıyla markasız malını çığlık çığlığa satmaya çalışan gence soruyor, "Bunu benden kaçtan alırsın?" Susuyor satıcı. Kömür karası gözlerindeki şaşkın bakış büyüyor. " Biz böyle çalışmayız abla..." diyecek oluyor, sonra vazgeçiyor. Nasırlı parmakları gömleğin derisinde ve yakasındaki marka yazısında geziniyor usulca. Bir derenin suyunun çekilmesi gibi ağırdan kendine döndürüyor ellerini. "İyiymiş yeri, yumuşak ama..." Kadın dayanamıyor. Zamanın durmasına da, akmasına da... Beklemeye de, gitmeye de dayanamıyor aklı artık. Kendi artığını başkalarına bulaştırmak istiyor, bir an önce. Herkes onun gibi koksun, onun gibi solsun istiyor. "Kaç verirsen ver, al bunu beşe, sat ona, hadi..." Tüm alıcılar susuyor bu söze. Tüm satıcılar gülüyor. Alınıp satılıyor kadının geçmişi, bir çırpıda. Gömlek yer değiştiriyor. Fabrikadan vitrine; masadan karton kutuya...

Cumartesi. Evin sakinliğinde kızarttı köfteleri kadın. Rokaları sirkeli suda bekletti, süzdü. Pirinçleri, kendinden olmayanlardan ayırdı ve şişmeye bıraktı suyun içinde. Rakısını yarılamıştı. Bakışları pencereden dışarı kaydı. Yıldızlar... Balkon kapısını açıp açmamakta kararsızdı, eli kapının kolunda takılı kaldı. Masayı balkona kursaydı, üşür müydü acaba? Sokağın rüzgârı evine girer miydi? Köfteleri, rakısını ve bedenini dışarı kapattıktan sonra eviyle ilişkisi kesilir miydi acaba, bir süre için bile olsa? Denemeye karar verdi. Bulaşık deterjanı damlatılmış bir kova ılık suyla balkonunun tenini nazikçe sildi, süpürdü. Ayakları çıplaktı. Akıttı kirleri, ayaklarını da ıslatarak. Hiç çekinmedi bahar akşamının serinliğinden. Tezgâhın yanında bardağını sıkıca kavrayarak balkonun kendini kurutmasını bekledi. Hafif bir deterjan kokusu yaladı burnunu. Sabunlara özendi bu kokuyla. Dokunduğu her yeri arındırmaya ve sonra sessizce akıp gitmeye özendi borulardan, her mevsim ve her gün. Başını göğe kaldırdı. Seçebildiği birkaç yıldıza dokunabilseydi keşke. Küçük hissetti kendini. Bir çocuk gibi iç çekti bu sefer. Şu koskoca evrende genişlemek; kendini uzaya doldurmaya çalışmak varken, insanların günlük hesaplarla giderek küçüldüklerini düşündü. Zaten o kadar az yer kaplıyordu ki gövdesi, ama ya aklı? Az önce içine çektiği nefesi boşluğa geri bıraktı. Bardağı bırakmadan masanın köşesine koydu. Salı gecesi adamın elini sürmediği paketi anımsadı. Parmakları, bir nakışın düğümlerini çözer gibi kurdelenin ipeğini duyumsadı, karıncalandı. Oysa parmakları bardağı kavrıyordu. Düşünceleri sarhoş olmak üzere idi. Gözlerini yummaya çekindi. Bir uçurumdan düşer gibi bedeninin kaydığını hissetti zamanda. "Bir zamanlar..." diyerek gülümsedi yıldızlara.

Pazar. Sokağın hızına uyduruyor adımlarını ve tatil günlerinin rehavetine bırakıyor aklını. Trafik ışıklarının, kırkayakların kullanılmadığı yerlerden; araba aralarından koşturarak geçiyor karşıya. Diğerleri gibi. İnce hırkalı küçük kızın sesi takılıyor peşine: " Bir mendil al abla!" Duruyor. Kısılmış bakışları, kızın parlak siyah gözlerindeki bezgin bakışla kenetleniyor. Sormaya korkuyor adını, yaşını. Bilse neyi değiştirecek? Bir paket mendil parasını sıkıştırıyor kızın eline, gülümsemesiyle birlikte. Arkasını dönüyor. Kıza, sokağa, kendine sırt çevirir gibi uzaklaşıyor. Bir hafta süren bir koşudan nefes nefese çıkan aklını, sokaktaki çiçek kokuları sarıyor. Yarın pazartesi, diye geçiriyor içinden. Adımları hızlanıyor.

Pazartesi. Kimi hiç tatlı düşünemiyor. Bir başkası, dönerini ayranla midesinde harmanlayıp son lokmasını ağzında büyütürken, televizyondaki renkli görüntülere dalıyor: Kimsesizler yurdundaki çocukların bayram öncesi görüntülerine... Ve kalkıp gidiyor. Bu yüzden yurt müdürünün, "Sizi de bayramda aramızda görmek isteriz, çocukları sevindirelim," dediğini duymuyor. Kimi duyuyor, yanındakine, "Para mı istiyor bunlar?" diye soruyor. Oysa yanındaki garsona çatal bıçak temizliği öğretiyor. Bir başkası, dönen etin başında terini siliyor, boynundaki beyazı kaçmış havluyla ve bayramın birinci günü patrondan nasıl izin alacağının muhasebesini yapıyor. Alırsa, kızını lunaparka götürmeyi düşünüyor, ama bunu da hesaplaması gerekiyor, kaç milyondan kaç kere dönme dolaba binebilecekler, kızının en sevdiği bu çünkü. Kimi, dönerci ile göz göze geliyor. Alnından yanaklarına düşen ter damlacıklarına takılıyor gözü ve içeri girmekten vazgeçiyor, sövüp sayıyor dönerciden sağlık bakanına kadar. Hızlı yürümekten ensesinde biriken teri, az önce adını sormadığı küçük kızdan aldığı kâğıt mendille siliyor ve dönerci dükkânının kapı eşiğine atıp uzaklaşıyor. O mendil, aniden boşalan yağmurdan ıslanıyor, ayakların getirdiği toprakla çamurlanıyor, birinin paçasına yapışıp dönerci dükkânındaki sandalyenin ayağına dolanıyor ve günlerce kalıyor orada. Parçalanıyor, eriyor, kimsenin eli değmeden yok ediyor kendini...

Ocak-Temmuz 2005 /
Evrensel Kültür Dergisi, Sayı: 167, Kasım 2005

ZİL ÇALIYOR

Kehribar renginde ışıyan bir yaz günü. Işığın açısından belli, akşamüstünün en güzel saatindeler şimdi. Masanın köşesinden aşağı sarkan tespihin imamesine, örtünün dalgalanarak dökülen beyaz ipeği eşlik ediyor.

Nasıl da coşkulu şarkılar çalıyor radyoda: Cici Beyler geçiyor, dillerinde eski "Suna"lı bir tango ya da o günlerde kalmış kalbi kırık bir "Zehra". Sonra da "bayan bana bak" diyerek cilveleşen eğlenceli eski zaman çifti. Gökyüzüne denk, denizlere eş masmavi bir geçit töreni bu.

Parmakları, mavi boya kalemini kavrıyor. Beyaz sayfanın ortasından başlayıp aşağıya sallandırıyor çizgileri. Birbirine paralel sarkıtlar oluşturuyor önce; sonra birleştiriyor, el ele tutuşan çocuklar gibi...

Zil çalıyor. El ele tutuşan çiçeklerle donatamıyor kâğıdı, ama kapının çalınmasından az önce çiçeklere su veriyor. En çok sardunyalar. En güzel sardunyalar. Nerdeyse her mevsim sardunyalar. Pencere kenarlarını süsleyen, kiremit rengi toprak saksılı sardunyalar...

Kapıdan içeri girişini seyrediyor babasının. Çantasını, ayakkabısının yanına bırakmadan önce çevreye göz gezdiren bakışlarını: Yerin cilası, sehpanın tozu, odanın düzeni... Bakmadan geçiriyor terliklerini ayağına. Nasıl olsa aynı yerdeler. Günlük alışkanlık yineleniyor.

'Aferin'i bekleyen bakışla karşılaşıyor babası, sonra... Radyodaki Cici Bey'in yakut renkli sesi eşliğinde salona geçiyorlar.

Yaptığı resmi gösteriyor. Kâğıdın beyazına sinmiş mavi çizgileri, çizgilerin bittiği yerdeki karaltıyı, boş saksıyı, çiçekleri... Karaltının, annesinin eli olduğunu anlatmaya çalışırken gözleri kapanıyor.

Babasının, elindeki yarım kalmış resim ile kendinden uzaklaşan gölgesini seçiyor. Çünkü zil çalıyor. Akına yapışmış gözkapaklarını kaldıramıyor. Uykuya kayarken bedeni, geçen baharın yağmurlarını hatırlıyor: Serin.

Balkonun altında ıslanmamak için beklerdi. Yine de yağmur damlaları kirpiklerinde birikirdi. Başını, gömdüğü yerden çıkarıp bakardı. Topraktan. Çıplak ayaklarıyla ezdiği çimlerden yukarı... Sızan deterjanlı sulardan kuruyup kabuk kabuk kalkmış balkonun altına... Ne çok yıkardı annesi o balkonu ve içindekileri. Yıkanmaktan pas tutmuş metal ayaklı sandalyeleri, ahşabı erimiş masayı ve papatya desenli örtüsünü, ama en çok da saksılarıyla beraber sardunyaları: Kan kırmızısı, ateş kırmızısı, güneş kırmızısı... Sabahlar, akşamlar, günün ufukta kırıldığı saatler, hep beraber arınırlardı. Şölen gibi suyun sokağa aktığı, kaybolduğu zamanlardı.

Uykunun hafifliğinden kaldırıyor başını. Başı, koltuğun kolunda. Kapının aralığından, kapı komşularının terliğinden fırlamış tombul ayakları görünüyor. Boğum boğum bileklerini örten çiçekli eteğinden kuru güller dökülüyor.

Rengi solmuş kupkuru güllerle beraber komşu kadın da dökülüyor odaya. Elindeki bakır tencerenin üzerinde bulut gibi dumanla. Sıcak çorba, deyişini duyuyor kadının. Şarkı söyler gibi konuşuyor. Her kelime arasına bir kahkaha sıkıştırarak...

Tencere, babasının geçiyor. Radyodaki Cici Bey'in sesini giyinerek konuşuyor babası da. İçeri giriyorlar.

Uykunun saf halinden katı haline geçiyor aklı. Az önce başını dayadığı yerde, kadının tombul ellerini görüyor bu sefer. Yanaklarını okşuyor kadın, iş yapmaktan kabarmış pütürlü parmaklarıyla. Başını çeviriyor, hiçbir soruya cevap vermeyen ağzı aralanıyor:

Annemin resmini yaptım bugün.

Komşu kadın gidiyor. Babasının kal demesine karşın. Ne de olsa çorba iki kişilik, sofra iki kişilik, bu ev artık iki kişilik. Kaç zamandır... Kadın, bunu anlıyor demek ki!

Babası, hızlı adımlarla salona giriyor. Sesi yükseliyor, elindeki kâğıdı koltuğa doğru fırlatıyor. Aslında boş saksıyı azarladığını anlamıyor babası. Yarım kalmış resme, annesinin ellerine bakarak düşünüyor: Büyüyünce boş bırakmayacak saksıları, çorba da pişirmeyecek komşulara. Eline tencere almayacak, alsa da karşı kapının zilini çalmayacak o tencereyle. Çalsa da, terliğini eşikte çıkaracak. Çıplak ayaklarıyla konuk olacak yabancı evlere. Annesinin balkonda ayaklarını yıkadığı yaz akşamlarındaki kadar çıplak...

O an nasıl istiyorsa öyle girecek evlere, balkonlara. Ya da hiç girmeyecek. Hiç...

Komşu kadın gidiyor ve karar veriyor: Büyüyünce komşu olmayacak kimseye!

Anne olacak!

Haziran-Ağustos 2006

YOK MU DUYAN?

Sesler duyuyorum.

Telefonda konuşan bir adam sesine benziyor. Neden telefonda konuşuyor olsun ki? Dakikalardır susmuyor. Boğazına takılan kılçıklı bir sesi var. Kim olduğuna dair birkaç tahminimin boşa çıkmasından bir süre sonra, nasıl bilmiyorum, üst katta oturan komşunun sesi olduğunu düşünüyorum. Hayır, emin oluyorum. Bu karanlıkta ancak sezgiler kol gezer zaten.

Tek başına yaşayan bu adama bir şeyler olmuş olmalı. "Şey" gibi, her duruma uyan tanımsız bir şeyler hem de.

Bu kadar geveze olduğunu ilk kez duyuyorum. Kiminle ne konuşabileceğini merak ediyorum. Adımlarının gece yarısından çok önce kesiliyor oluşundan erkenden uyuduğunu biliyorum aslında. Oysa saat gece yarısını çoktan geçti. Bugüne kadar kendinden başka kimseyi evine almadığını da kapıcı söylemişti geçenlerde. Benimle konuştuğu ender ve kıymetli bir akşamüzeriydi. Neyse, tahminim doğru demektir bu. Telefonda konuşuyor bu adam sahiden. Dinleyeni var mı acaba karşısında? Ya kendi kendine konuşuyorsa?

Hani benim arada sırada tek başınalığımdan yorulup gözümü telefona diktiğim zamanlardaki gibi belki. Biri arıyormuş gibi oynadığım oyunlardaki gibi konuşuyordur kendisiyle. Aman neyse ne!

Neyse ama adam susmuyor!

Odadaki bütün gürültülere son veriyorum. Televizyon, bilgisayar, müzik, adımlarım, nefesim...

Sadece dinliyorum. Ne dediği anlaşılmasa bile hararetli konuşmasından oldukça önemli bir konu üzerinde fikir yürüttüğünü düşünüyorum. Dönüp dolaşıyor olmalı cümleleri aynı konu üzerinde, yoksa bir insan nasıl bu kadar uzun konuşabilir ki! Ancak bir dediğini birkaç kere tekrarlıyorsa, o başka! Sözcükleri, birbiriyle savaştırıyor sanki boğazında. Arada öksürüyor. Gırtlağını temizliyor, ama asla karşısındakinin konuşmasına fırsat vermiyor.

Nedense, kendi kendine konuşmayı yakıştıramıyorum bu adama. O meziyet bana ait. İşinden evine gidip gelen, kimseye zararı dokunmayan, etliye sütlüye de karışmayan, yani tam bu apartmanın istemediği gibi bir adam. İstemem yan cebime onlarınki aslında. Yine de meraklı komşulara malzeme olamayacak kadar kendi dünyasına çekilmiş, kabuğundan başını sadece kapıcının geldiği saatlerde çıkaran bir vurdumduymaz bu adam. Kafasına vursan ekmeğini alacağın, üstelik sesini de duyamayacağın bir sünepe hatta. Hiçbir kavgaya karışmayan, hiçbir yönetim toplantısına gelmeyen, ne istenirse ödeyen, tüm kararlara imza atan, sesini hiçbir şeye çıkartmayan...

Sesini mi!? Oysa şimdi alt çenesinin bağları kopmuş gibi konuşuyor, hiç susmuyor.

Meraklanıyorum iyice. Komşuluk görevi işte! Madem kendi gürültülerimi karanlığa gömdüm, öyleyse ışığı da kapatmam gerektiğini düşünüyorum. Belki daha iyi işitebilirim böylece. Gözlüğüm olmadan karşımdakini yeterince duyamadığımı sanmam gibi bir saçmalık örneği bu da.

Artık karanlıktayım. Sessiz ve hareketsiz bekliyorum. Adamın konuştuklarını anlamayı bekliyorum. Sözcüklerin, adamın ağzından çıktıkları gibi odama koşmalarını bekliyorum; ama olmuyor. Dakikalar dakikaları kovalıyor sadece. Hırsımdan bacaklarımı sallamaya başlıyorum oturduğum yerde. Giderek şiddetlenen bir tempoda... Sanki odamın yanından geçen vagonlardan sarsılıyor bedenim. Vagon da yok, tren de. Cılız köpek havlamalarına karışan siren seslerinden başka bir şey yok gecenin bu saatinde. Bir de bu adam! Yine de durduramıyorum içimdeki bu depremi, salladıkça uyuşuyor bacaklarım. Karıncalar yürüyor damarlarımda. Bütün bedenimi istila ediyorlar. Kapılarım çoktandır onlara açıkmış gibi, sormadan misafir oluyorlar bana.

Kendimi sarsmaya devam ederken, bilincimin tabanlarımdan uçup kaçtığını duyumsuyorum. Elimde avucumda kalan tek şey... Karıncalanıyorum işte yine! Kaynağını keşfetmeme rağmen şişiyor sözcükler. Balon olup uçmaya başlıyorlar odanın içinde. Kimi tavana yapışıp kalıyor, kimi patlayıp sönüyor. Adamın ağzından kulağıma, oradan da odamın her köşesine... Sızıyorlar evime. Konukluklarına gönüllüymüşüm gibi hissediyorum. Titremeye başlayan parmak uçlarımı, ayağımın ucunda birikenlere değdiriyorum. Canlı cansız ayrımı yapmanın gereği bile yok. Odamın parçası olmuş bu sözcükler nasıl olsa, öyle ya da böyle...

Adam hâlâ konuşuyor. Sarsılmalarım, bacaklarımdan bedenime ve kafama sıçrıyor. Kendimi kontrol edemiyorum. Çıldırmak üzereyim. Hem ne söylediğini anlayamıyorum, hem de fişini çekemiyorum adamın. Ses bile çıkartamıyorum. Dilim, ağzımın içinde can çekişen bir yılan gibi kıvrılıp bükülüyor ve son nefesini veriyor. Dilim ölü bir hayvan artık, ama kulağım iş görüyor hâlâ.

Kahretsin, hâlâ duyuyorum bu beynime batan sesi. Ne dediği belli olmayan sesi... Hikâyesi bitmeyen sesi... Karnı tok sesi... Öyle ya, kaç zamandır acıkmadan nefes tüketiyor sünepe herif!

Saate bile bakamayacak kadar titriyorum artık. Yoksa sabah mı olacak, güneşin doğmasına ne kaldı sahi? Kolum koltuğa yapışıyor. Elim, diğer elimin üzerinde ve aslında ikisi de kucağımda. Diğer kolum nerde?!

Olamaz! Sağ kolumu bulamıyorum, göremiyorum, dokunamıyorum, nerdeee? Bir anda aklım başıma geliyor, bir yerlerden koşarak yerine yerleşiyor ve imdadıma yetişiyor. Işıklar, evet ışıklar... Dalga dalga gelerek organlarımı teslim alan sarsılmalara bir son verebilsem, kalkıp düğmeye basacağım. Basmalıyım. Açacağım ışığı, ama parmaklarım... Onlar da etkisiz elemanı bedenimin. Kulağımdan içeri girip hücrelerimde yankılanan adamın sesine koşan karıncalar yüzünden parmaklarım da hareketsiz artık.

Umut!

Ne umut ama! Bunca yıl aranmayı bekle, haber almayı bekle, meraklan, kızı büyümüş mü, okula başlamış mı, işleri yolunda mı, dükkânı hâlâ açık mı, çocuklukta beraber hayal ettiğimiz gibi kasada mı oturur, kocası da malları getirip raflara mı yerleştirir, kaynanası ile kavgaları sürüp gitmekte midir, kızını bırakacak başka birini bulmuş mudur, aynı evde mi yaşarlar hâlâ, yoksa dükkânın işleri çok mu iyidir, taşınmışlar mıdır, bir kardeşi olduğunu hatırlar mı, peki ya mezara gider mi ziyarete, ceplerine üç beş lira sıkıştırıp da okutur mu oradaki paralı hocalara anneyle baba için, yoksa eskisi gibi direnir mı hacı tayfasından olan kocasına, inanmaz mı bunlara hâlâ, ya da içinden ya sabır çekip inanır mı görünür elâleme, namazını kılıp her rekat sonunda cebindeki gıcır paraları mı sayar yoksa, gırtlağından tuzsuz çorba yerine yağlı kavurmalar geçsin diye kaçtığı bu beyni yağlı adama eskisi gibi söylenir mi içinden, küfreder mi? Neden bir kardeşi olduğunu hatırlamaz diye meraklan, kudur; gözün telefona kilitlensin, parmakların ahizeye; aramamak için inatlaş aklınla; susmaya yatır beynini, beklemeye çevir gönlünü; sonra sünepenin biri gelsin, aylarca kendini gizlesin, meraktan kurt döktürsün, sır da vermesin ser de; derken gecenin bir yarısı avazı çıktığı kadar 'buradayım' diye debelensin bir üst katta, sözcükleri ile ıslatsın gecemi, bekleyişimi bozsun salyalarının odama akan pisliğiyle, olacak iş mi şimdi bu!!

Umutmuş!

Aklımı yitiriyorum. Ne yapıp edip kalkmalıyım yerimden. Hatta bir plan yapmalıyım. Önce bu koltuktan kurtulmak için, sonra adamı susturmak için, olmazsa adamı sonsuza dek susturmak için ya da adamı sonsuza kadar duymamak için... Düşünüyorum. Çıkış kapılarımı yazıyorum aklıma.

Bir: Önce çekirge bul, içimdeki karınca larvalarını yesinler. Onlardan kurtulur kurtulmaz ellerini çöz, koltuktan kalk, ışığı aç, diğer kolunu ara, her şeyinle tamam olunca eski gürültülerini yerine koy. Televizyonu aç, müziğin sesini sonuna getir, bilgisayarı çalıştır ve hatta olmayacak adresleri tıkla, virüslere aç makinenin kapılarını, o kadar aç ki makine kendini şaşırsın, sarsılarak, homurdanarak, söylenerek hatta ağlayıp dövünerek, sızlanıp dertlenerek bağırıp çağırsın. Susmadı mı adam hâlâ? Peki!

İki: Telefonu, larvalardan temizlenmiş eline al, bilinmeyen numaraları ara, adamın numarasını öğren. Adam komşun ya, adresten söylerler. Söylemezler mi? Söyler, söyletiriz... Sonra o numarayı çevir, bekle, çalmıyor mu? Meşgul mü? Tabii hâlâ konuşuyor adam, kahretsin meşgul telefonu, adam hâlâ meşgul, susamayacak kadar... Zaten çekirgeyi nerden mi bulacaktım? Onu da mı ben düşüneceğim! Neyse, neyse, endişe yok. Çıkış kapılarımız var daha.

Üç: Koltuktan kalkmanın bir çaresine bak. Bul bir şeyler, telefona uzan ya da kardeşini ara, sor bakalım nerdeymiş bunca sene, hangi deliğe gizlenmiş? Numarası mı yok? Ara o halde bilinmeyen numaraları. Nasıl aklına gelmez ki bu! Dükkânın yerini mi bilmiyorsun? Hiç mi gizlice geçmedin önünden sağından solundan, hayır mı? Neden kendini kapattın evine bunu da mı bilmiyorsun? Tamam, sakinleş, ağlama sus, zaten titriyorsun yağmurda kalmış kedi gibi, arama kimseyi vazgeçtik.

Son çıkış kapısı: Senin ve o adamın kapısı. Bul bir yolunu, kalk ve çık yukarı çal kapısını, ağzına geleni söyle. Hakkın yok, de. Yıllardır kardeşimin sesini duymaya, uyurken, tam uyku öncesi bitmeyen konuşmana, dinmeyen sesine katlanamıyorum, de. Ya susarsın ya da seni apartmana rezil ederim, de. Bağır, kapıcıyı çağır. Herkes kalkar, kapı önlerinde nöbette değiller mi zaten, bekledikleri bu değil miydi ki yıllardır! Senden ve o adamdan. Tabii, senden. İkinizi aynı kapı önünde görünce de küçük dillerini yutarlar. Ağızları sabaha ancak kapanır. Kaç aylık malzeme çıkar işte, gül gibi geçinirsiniz. Toplantılara bile gitmeye başlarsın sen de böylece. Arkandan karar alamaz kimse, aidatı her ay kapıcıya verirken hırsından kemirmezsin tırnaklarını, kapıcı artık daha hoş havadisler verir senden komşularına. Evi dayalı döşeli; yerler cilalı, bal dök yala der, der valla. Eskisi gibi yerde tozan kirlerden, havada uçan kedi tüyünden haber uçurmaz elâleme. Hem apartman kapısında seni görünce de kaçmazlar, kafa çevirip hava da atmazlar. Hal hatır sorarlar, adam yerine koyarlar seni. Bir olay çıkar yeter ki, bir ara şu kardeşini yeter ki, ya da konuş sen de sabaha kadar birileriyle...

Kiminle mi? Ne bileyim, onu da sen bul artık. Olmayacak böyle, hadi çık yukarı, kalk kalk...

Sabaha kaç var bilmiyorum. Aklım uçtu gitti. Gözlerim çukurunda dönüyor. Perdelerin arasından gün ışığı sızmaya başladı bile. Elim elime kilitli oturuyorum koltukta hâlâ. Karıncalar uyurlar mı? Durmadan mı çalışırlar? Larvaları neden akasya sever ya da parmaklarımda ne işleri var? Anlamaya çalışıyorum bütün bunları.

Adam hâlâ konuşuyor. Cevaplar, adamın sözcüklerinde gizliymiş gibi kulak kesildim yine. Yoksa bu konuşan... Yoksa bana mı öyle geliyor? Kendimle mi konuşuyorum artık geceleri? Ama adam gerçek... Adam yok muydu üst katımda? Taşınmış mıydı?

Yok canım! Sessiz sedasız taşınma mı olurmuş! Nasıl duymam ki!

Gizli bir hesap peşinde bu sünepe, kesin. Bu gece bitireceğim onun işini.

Çıkıyoruz yukarı, kalk!

Kasım 2005-2006 / Yoğunluk Dergisi, Nisan-Mayıs-Haziran 2007 / Sayı:6

ADNAN ÖZYALÇINER ÖYKÜLERİ

İKİNCİ ARKA

Yokuşun tam ortasında durdu. Sırtı, dağ gibi, baskıdan yeni çıkmış formalarla yüklüydü. İki büklüm, olduğu yerde çakılıp kaldı. Dışardan bakıldığında hafif gibi gelebilirdi insana. Oysaki kum kadar, çimento kadar ağır çekerdi meret. Kâğıt bu, ne ağırlığı olacak diye düşünüldüğünden yükledikçe yüklerlerdi. Onun için şu anda, ne bir adım ileri, ne de bir adım geri gitmeye güveni vardı. Geceden yağan kar, ortalığı beyaza kesmişti. Şimdi yağmıyordu, ama keskin bir ayaz her yanı kavuruyordu. Yokuş cam gibiydi.

Günlerdir güneşli giden havaların arkasından bir gece içinde ortalığı dolduran, sonra da ayazla sertleşip buzlaşan kar, herkesi gafil avlamıştı. Ankara caddesini dolduran taşıtlar, ağır ağır inip çıkıyorlardı kaygan yolu. Gelip geçen yayalar da büyük yapıların kalın taş duvarlarına tutuna tutuna, bastıkları yeri kollaya kollaya yürüyerek düşmemeye bakıyorlardı.

Hamal Habip, sırtındaki ağırlıkla ayaklarının kayacağını ummamıştı. Sırtındaki yük, üstten bastırdığından kara lastiklerinin yeri sıkı sıkıya kavraması gerekirdi, onun için kayabileceğini düşünmemişti hiç. Böyle bir aksilik çıkacağı aklından bile geçmemişti. Formaların yüklendiği basımevinden bir tahta istemişti yalnız. Baston gibi dayanacaktı ona, destek almak, kendini dengelemek için. Öyle de yola çıktı. Ama genellikle yapardı bunu. Elinde bir tahta ya da kalın bir sopayla yokuşu inip çıkmak alışkanlık olmuştu onda.

Ayaklarını yaylandıra yaylandıra atıyor, böylece hem biraz daha hızlı ilerliyor, hem de kaymayı önlüyordu.

İran konsolosluğunun köşesine gelinceye kadar bir şey olmadı. Konsolosluğun bahçe parmaklıklarının yanı sıra aşağı doğru yürürken ayaklarının yere basış gücünün hafiflediğini duydu. Bir an durup formaları tutan kalın yağlı ipi bir kere daha doladı bileğine, yükün ağırlığını bir parça daha ayaklarına aktardı, daha güçlü basabilmek için. Sonra yürüdü. Bir adım attı. Bir daha. Üçüncü adımda aynı hafifliği duydu. Durdu. Karın içine batırdığı tahtaya abandı. Ortalığı kavuran ayaza karşı yüzünü ateş basmıştı. Sırtındaki ağırlıktan nerdeyse tere batacaktı. Solukları, burun deliklerinden, yarı açık ağzından lokomotif buharı gibi çıkıyordu. Göğsü körük gibi çalışmaktaydı. Formaların sırtından kaydığını düşünmek bile ürpertiyor, terini ince ince soğutuyordu. Ayağının sürçerek yere yuvarlanıp formaların karlarda ıslanacağını, gelen geçenin ayakları altında çamurlanacağını, rüzgârda oraya buraya uçuşup duracağını, yırtılacağını, yitip gideceğini aklından geçirmesiyse ölümden beterdi. Kafası, bacağı, kolu kırılabilir, taşıtlardan birinin altında kalabilirdi. Ama sırtındakilere zarar gelmemeliydi. Ne kara kara yazıları silinmeli, ne de apak yufka inceliğindeki kâğıtlar zedelenmeliydi. Yükün altından onu çıkardıklarında bir başkasının sırtına yüklenip yerine sapasağlam ulaştırılabilsindi. Aksi halde böyle bir zarar ziyanı kim bilir kaç yüz arkayla ödetirlerdi. Yokuşu kim bilir kaç yüz kere açaçına, bedavadan inip çıkmak zorunda kalırdı. Belki de işi tümden keserler, iş yüklemek için uğradığı basımevleriyle ciltçilerden, kitapçılardan kıçına tekmeyi yerdi.

Onun için konsolosluğun kalın duvarını dirseğine destek yaptı. Bir de soğuktu ki bu iri iri kesme taşlar. Şimdi bir eliyle tahtaya abanıyor, ötekinin dirseğiyle de konsolosluğun duvarına sürtünüyordu. Taşların soğukluğu gitmişti, sürtünmeden dirseği yanıyordu bile. Böyle böyle yokuşun başını buldu. Asıl iş de yokuşu inmekteydi. Hem soluklanmak, hem de yokuşu nasıl ineceğini hesaplamak için bir daha durdu. Yüreğine korku girmişti bir kere. Burgu gibi oyuyordu. Düşme korkusu, yüreğini oydukça bacaklarına söz geçiremiyordu; onlara abandıkça sanki büsbütün güçten düşüyor, kuş gibi hafifliyorlardı. Oysaki küskü gibi toprağa basıp bastıkları yeri ezmeleri gerekirdi. Sol bacağındaki onu zaman zaman topallatan kurşun bile, bugüne kadar, engel olmamıştı bacaklarının güçlülüğüne, tabanlarının toprağı sıkı sıkıya kavramasına.

Yokuş bomboştu. Öteki günler gibi inen çıkan da yoktu. Herkes dükkânların buğulu camları ardına sığınmıştı. Konsolosluğun arka bahçesini yokuş boyunca yüksek bir duvar korurdu. Dibi tam bir açık hava çarşısıydı. İyi havalarda cıvıl cıvıl olurdu. Bugün kimsecikler yoktu. Gezgin satıcılar dün akşamdan tası tarağı toplayıp gitmiş, sabahleyin de görünmemişlerdi anlaşılan. Şimdi ne her derde deva katran karası çubuklar satan Bülbül Hafız, ne Almanyalı işçilerin getirdiği ufak tefek süs eşyalarını sergileyen kısa boylu, çipil gözlü satıcı, ne kitap sergicisi delikanlılar, ne de eskimiş, ucuz kitaplar satan fotörlü laz vardı.

Habip, sırtına vurulan yükün altında hep öne eğik duran kafasını az doğrultup ayaklarının ucundan başka yeri görmeyen gözlerini olabildiğince yukarı kaldırarak kapkara uzanan duvar boyunca baktı. Konsolosluğu kale gibi çeviren bu dev duvardaki dört köşe deliklerin ağzında, her günkü gibi, kuşlar da görünmüyordu bugün. Oysaki güneşli havalarda kitapçı laz uçuşup duran ya da duvardaki deliklerin önünde koklaşıp sevişen kumruları, güvercinleri, yere serdiği kitaplarının üstüne pislememeleri, tüylerini, bitlerini dökmemeleri için kovalamaktan yorulurdu bütün bir gün. Ya bağırarak ürkütürdü onları, ya bir iki ufak taş fırlatırdı ya da uzun bir sopayla düpedüz saldırırdı hayvancıklara. Kafasında canlanan bu her günkü görüntüye gülümsemeden edemedi.

Duvar dibinin boşalması iyi olmuştu bugün. Boştaki dirseğini duvara verdi yukardaki gibi. Öteki eliyle tahtaya dayanmakta devam ediyordu. Böyle böyle, kıyı kıyı, yokuşun ortasını buldu kazasız belâsız. Ama orda durdu. Ayakları titriyordu. Yüreğindeki korku bunca güçsüzleştirmişti onu. Ne bir adım ileri, ne bir adım geri, orda kalakaldı. Kıçını da hafifçe duvara yaslayarak durdu öyle. Soluklanmak için. Dayandığı duvar bir buz kalıbı gibiydi. Soğuk, kurşunlandığı günkü gibi sancıttı bacağını. Baldırının eti çekilir gibi oldu. Kramp girmişçesine kasıldı. Acıyla gerildi yüzü. Gözleri, karşı dükkânların buğulu camlarına takıldı. O günü, bütün canlılığıyle, yeniden yaşıyordu şimdi...

Taşı, kolunu havada iki kere döndürdükten sonra öyle bir fırlattı ki küçük kitapçı kulübesinin camı bir anda tuzla buz oldu. Onun gibi beş altı kişi daha vardı. Onlar da aynı biçimde taşları yağdırıyorlardı küçük kulübeye. İstasyon caddesi insanlarla dolmuştu. Bir bağırış, çağırıştır gidiyordu. Kalabalığın arasında bileklerine doladıkları kalın zincirlerle yontulmuş sopalarla koşuşan gençler vardı. Taşlanan dükkânlara, kapı içlerinde, sokak aralarında kıstırdıkları adamlara saldırıyor, zincirler havada daireler çizerek dönüp duruyor, sopalar inip inip kalkıyordu.

Habip, hemen yanı başında kıstırılan bir adamın kafasına zincirin nasıl üst üste şaklayarak indiğini görmüştü. Adamın kafası bir anda karpuz gibi çatladı, fışkıran kan, kaldırımı kızıla boyadı. Zincir darbelerinden biri, adamın can havliyle fırlamasından taşa denk gelmişti. Dört bir yana kıvılcımlar saçtı taş o zaman. Taşın sıçrattığı kıvılcımlar, Habip'in aklını başına neden sonra getirdi. Kafası yarılmış olarak kaçıp kurtulan adam kulübesini taşladıkları kitapçıydı. Zincirliler, onların sersemletmek için taşladıkları dükkânından sürüyerek çıkarmışlardı adamı.

Adamı, elinden kaçıran zincirliler, şimdi kulübeyi yıkıyor, öçlerini kulübedeki kitapları parçalayarak alıyorlardı. Yıkıntının önüne yığılan gazeteler, dergiler ateşe veriliyordu.

Birden cıvv cıvv diye kurşunlar sekmeye başladı kalabalığın ortasında. Polis, kalabalığı dağıtmak, kargaşalığı önlemek için ateş açmıştı. Kaçışma arttı. Zincirli, sopalı kalabalığın kovaladıkları şimdi de kurşunlanıyordu. Ateş, kargaşalığı büsbütün artırmış, zincirlilerin işini daha da kolaylaştırmıştı.

Habip, bir an durakladı, ne yapması gerektiğini kısacık düşündü. Kurşun da baldırına o an saplandı işte. Acı duymadı. Tökezledi yalnız. Hemen de doğruldu. Doğrulur doğrulmaz kararını vermişti. Bu kendi kararı olmaktan çok, yapılan anlaşmaya göre parasını hak edebilmek için yapmak zorunda olduğu şeydi. Karar onlarındı. Taşları, kolunu havada döndürüp kaçışanların üstüne gelişigüzel savurmaya başladı. Taşlar, sapanla fırlatılıyormuşçasına şimşek gibi hedefe ulaşıyor, oraya buraya koşuşanları düşürüyor, zincirlilerin, sopalıların elinden kaçmaya çalışanları yaralıyordu.

Bir gün önceden kamyonla köyden toplamışlardı onları. Gece, hep birlikte bir handa yatmışlardı. Akşam yemeklerini gösterilen bir lokantada, diledikleri yemekleri diledikleri kadar yemek şartiyle, yemişlerdi. Sabahleyin her birine ikişer poğaça dağıtılmış, birer bardak ta çay söylenmişti. Habip de bu köylü kalabalığın arasındaydı. Yeme içme yatmanın dışında her birine tam yüz kayme verilecekti bir gün için. Belki de bir iki saat sürerdi iş. Ama yüz kaymeleri yüz kaymeydi gene. Köylerine de onlar döndürecekti. Şehirde pazar günü "dinsiz komünistler" bir toplantı yapacakmış. Bütün işleri o toplantıyı yaptırmamak, dinsiz komünistlere saldırarak onları dövmek, sindirmek... Dinsiz komünistlerin işini ne kadar çabuk bitirirlerse o kadar çabuk alacaklardı yüz kaymelerini. Şehirde onlara yardım edecek başka imanlı gençler de olacaktı. Onun için dinsiz komünistleri yok etmek o kadar uzun sürmeyecekti. Bu iş, Allah'ını, peygamberini bilen, Müslümanlığa inananlar için kutsal bir görevdi de...

Habip bütün bunları kös dinlemişti. O, alacağı yüz kaymeye bakıyordu. Topraksızdı. Köylük yerde çoluğunun çocuğunun boğazına bakamaz olmuştu.

Geçenlerde gazetede bir mektup çıkmıştı. Habip, okuma yazma bilmezdi ama kahvede, öğretmen yüksek sesle gazeteyi okuduğunda can kulağiyle dinlerdi. O sırada kâğıt ya da domino oynuyor olsa da bırakırdı hemen. Mektubu yazan bir köylü yurttaştı. Yazı, okunup bittiğinde "Uy anam, aynı ben gibi, aynı bizim köydeki gibi..." diye düşünmüştü Habip. Onun için yazı aklından çıkmamıştı. Satır satır ezbere okuyabilirdi. Hangi gazeteyi açsa okuyabilirdi. Şimdi bile. Mektup büyüklerimize yazılmıştı. Aynen şöyle diyordu:

"Erken seçime hayır diyen sayın Cepheciler, ben sokaktaki adam, Manisa Demirci kasabasının Çavullar köyünden Ahmet'e kulak verir misiniz? Siz hiç, gündeliği 4 liradan tarlada kök söktünüz mü, iki buçuk lira gündelikle orak biçtiniz mi, köyünüzün hacı ağasının hışmına uğramamak için onun sığırlarını şaşmayın ama 25 kuruşa güttünüz mü, iftarınızı tarhana çorbası ile açıp üstüne şükür çektiniz mi, ananızı doktora götürmek için günlerce kapı kapı 50 lira borç aradınız mı? Bir paltoyu 11 yıl giydiğiniz oldu mu? 7 yaşındaki oğlunuza muzun ne olduğunu anlatmak zorunda kaldınız mı? Pek muhterem Cepheciler, işte sizler meydanlarda bizlere mutlu yarınlar, nurlu ufuklar vaad ederek, bizler bu ıstırapları çekerek bugünlere ulaştık. Eğer başkasının tarlasını çapalarken kaza ile ayağınıza vurduğunuz kazmanın yerine tuz basıp acısını çekmedinizse bizlerin de acısını duyamazsınız. Ben derim ki, bu sokaktaki adamın sesine kulak verin. Derhal seçime gidelim. Ahmet Çay - İzmir"

Habip, Cephecilerden de, erken seçimlerden de pek bir şey çıkaramamıştı ama 11 yıl giyilen palto yüreğini burkmuş, kendi sırtındaki ceketi düşünmüştü. İpliklerinden başlayarak çürüyüp giden, sırtında gitgide eriyip yok olan ceketini. Yaşını bile unutmuştu ceketin. Güveyilik günlerinden kalma olduğunu iyi biliyordu yalnız. O gündenberi yaz kış onunla birlikteydi. Tarlada, kahvede, yatakta. Güveyi olalı on yılı çoktan aşmıştı herhal. Öyle ya büyük oğlan ilkokul dörtteydi. Yaşı 11 mi, 12 mi ne? Gerçekleşmesini istediği tek bir düşü vardı. Tabanlarının basabileceği kadar bir toprak parçasıydı düşlediği. Daha çoğu değil. Tam tamına o kadar. Kışın dondurucu soğuğuna, yazın yakıcı sıcağına tabanları dayanırdı kendi toprağında. Çatlayıp kanamazdı topukları. Yarılmazdı elleri. İnsan kendi toprağını çapalar, alt üst ederken kazmayla ayağını yarsa, yaralansa da acımazdı yara. Elin toprağındayken yarasına tuz bastığında, tütün ektiğinde yaralanan etinden çok yüreğine çökerdi acısı, orası yanardı. Zonk zonk edip dururdu yüreğinin başı günlerce. Tabanlarının basabileceği kadarlık toprağındaysa hep bir ağaç düşlerdi. Yorulduğunda gölgesine uzanabileceği bir ağaç. Hepsi o kadar. Bunun içindi bütün çabası işte. Bu yüzden de, o da başkaları gibi, Alamanya'ya bağlamıştı umudunu. Alamanya'ya kâğıt yaptırtmış, her bir işini tamamlatmış, şimdi sırasının gelmesini bekliyordu. Havadan gelecek yüz kayme onun için büyük paraydı. Irgatlıkla hiç bir vakit bir araya getiremeyeceği çok büyük bir para. Belki Alamanya işini kovalamak için İstanbullara, Ankaralara bile uzanırdı onunla.

Onun için de durmamacasına taşları savurmak zorundaydı. Kitapçının işi bitince büyük bir otelin önüne götürüldüler. Onları köylerden toplayanlar hep arkalarındaydı. Şöyle yapın, böyle yapın, taşları şuraya doğru savurun diye buyruk veriyorlardı. Onların dediklerini yapmazlarsa yüz kaymeleri kuş olup uçardı elbet.

Önüne götürüldükleri otel, minare gibi yüksek bir oteldi. Zincirli, sopalı kalabalık daha önce doldurmuştu orayı. Bağırıp çağırıyorlardı.

Taşlar savrulmaya başlanınca güneşte ışıltılı kolonya şişeleri gibi parıldayan büyük camlar bir bir aşağı indi. Otel sanki tüm camdan yapılmıştı. Duvar görünmüyordu hemen hemen. Bu billurdan sarayı taşlar çarçabuk tuz buz etmeye yetti. Toplantının yapılacağı düğün salonu otelin altında olduğundan kovalananlardan birçoğu, oraya sığınmıştı. Onlar, taşları savururken sopalı kalabalık da otele doluşuyordu. Tam o sırada, üçüncü katın pencerelerinden birinden bir adam,

- Hey can kurtaran yok mu kardeşler, adam öldürüyorlar! diye bağırarak kendini aşağı attı.

Habip, elinde olmadan gözlerini kapattı. Ama ağır gövdenin kaldırıma çarptığı anda çıkardığı sese kulaklarını tıkayamadı.

Şimdi otelin kapısından, alt kat pencerelerinden, arka kapılardan canlarını kurtarmak için fırlayanlar, dışarda bekleyen saldırganlara yakalanıyordu. Sopalar, zincirler kıyasıya inip kalkıyor, sesler havayı yırtıyordu.

O kargaşalıkta biri Habip'in koluna dokundu. Habip gözlerini açtı. Açık başlı, bıyıklı genç bir adamdı. Köydeki öğretmenlerini andırıyordu. Ceketsizdi. Yakası açılmıştı, kravatı çözüktü. Soluk soluğaydı. Habip'in yaralı ayağını göstererek:

- Bak yaralanmışsın, dedi. Sesi yumuşacıktı. Birden, Habip'in elindeki taşları alıp yere çaldı.

- Utanmıyor musun bu yaptığından? diye bağırır gibi konuştu.

Habip, ne yapacağını, nasıl bir karşılık vereceğini bilemedi. Yutkundu. Duyulur duyulmaz,

- Yüz kayme alacağım bu işten ben, diyebildi. Ardından katı, tok bir sesle:

- Yüz kaymemi bilirim ben, diye ekledi. Anlaşıldı mı?..

Genç adam, ağlamaklı bir sesle:

- Yazık değil mi sana... diyordu boyuna. Bir yandan da kolunu sarsalıyordu.

Yokuşun ortasında, dik duvarın dibinde öylece durup kalan Habip'i önce karşıki dükkânda çay içen laz kitapçı gördü. Hemen dükkândan çıkıp yanına koştu. Habip'in gözleri kapalıydı daha. Yanaklarını iki damla yaş ıslatmıştı. Habip'i kendine getirmek için uzun süre kolunu sarsalamak zorunda kaldı kitapçı.

- Hey, ne oldun yahu, hasta mısın?

- Yok. Gücüm kesildi birden. Yüreksizlikten. İnemedim yokuşu. Kayarım diye korktum. Biraz soluklanayım dedim. Gücümü toplamak için durdum, sen geldin.

- Aldırma, olur bazan. Koluma tutun da aşağı kadar destek olayım sana.

Kolunu, kitapçının omuzuna attı.

- Sağolasın!

Kaygan yokuşu inerlerken aynı yükü iki kişi omuzlamış gibiydiler. Formaların gideceği ciltçi yokuşun bitimindeki sokağın içindeydi. Habip, sokağın başında,

- Tamam, dedi kitapçıya. Sen git. Bırak beni.

Laz kitapçı, ellerine hohlayarak, yeniden yokuş yukarı çayını yarım bıraktığı klişecinin dükkânına seğirtti.

Habip, memleketinde yaşadığı olayların etkisinden kurtaramamıştı kendini daha. Dar sokağı, kum kadar, çimento kadar, kurşun kadar ağır çeken kâğıt yüküyle iki büklüm geçerken o günü düşünmeden edemiyordu.

Akşama doğru, her biri, şehrin merkezinden uzakta, bir semt camisinin avlusunda toplaştılar. Onları köylerden alıp gelen adam da ordaydı. Şadırvanın peykelerine oturdular. Kimi toza toprağa bulanmış yüzünü, kimi kan bulaşığı ellerini yıkıyordu muslukta. Adam, bir bir gözden geçirdi hepsini.

- Aferin iyi iş gördünüz, dedi. Gevrek gevrek güldü. Sonra cebinden bir tomar para çıkardı. Her birine ikişer ellilik dağıtmaya başladı. Habip, parasını alırken ezilip büzüldü.

- Ne var? dedi adam.

Habip,

- Ayağım ne olacak? diye sordu.

- Ha, o kurşunu yiyen sen miydin?

Habip, hızlı hızlı kafasını salladı. Adam, bir an durdu. Avlunun mermer sütunlarında dolaştı bakışları. Sonra tane tane konuştu:

- Hastaneye gönderemeyiz seni. Foyamız meydana çıkar. Özel doktor da para ister kurşunu çıkarmak için. Üstüne de sus payı vermek gerek.

- Ne kadara yapar deyiver hele.

- Eh bir yüzlük alır. Belki de fazla.

Habip'in yüzü kıpkırmızı oldu birden,

- Vermem! diye bağırdı.

- Eti yarmak kolay mı sanıyorsun, diye çıkıştı

adam. Sonra sakin sakin ekledi:

- Vermezsen verme, paranı zorla elinden alan yok. Kurşun da hayatın boyunca ayağında kalır. Bunu da unutma...

Konuşulanları izleyen ötekilere döndü:

- İçinizde yarayı şimdilik sarabilecek biri var mı?

Kısa boylu, kalın gövdeli biri,

- Ben varım, dedi. Askerde sıhhiyeydim.

- İyi. Al şu yirmi kaymeyi, eczaneden gerekli olanları al gel. Ötekiler dağılsın. Ama teker teker çıkın camiden, namazdan çıkıyormuş gibi, anlaşıldı mı... Burdan çıkar çıkmaz doğru köylerinizin yolunu tutun. Ayrı ayrı sokaklara dağılın hepiniz. Şoseye de kabak gibi hepiniz birden çıkmayın. Kiminiz dağ yollarından gidin. Hadi çabuk olun, sallanmayın. Ha bakın, sakın merkeze gaz tuz tedarikine ineyim demeyin. Şehir asker dolu. Yakalanırsanız karışmam. Tanklar her yeri sarmış durumda.

Kalabalık, teker teker camiden ayrıldı. En son da Habip'in bacağını saran kısa boylu sıhhiye çekip gitti. Avluda Habip'le adam kalmıştı yalnızca. Adam,

- Haydi, sen de artık kaybol, deyince Habip ayağını sardırmak için oturduğu peykeden doğruldu, bir adım attı. Topallıyordu. Kurcalanınca acısı artmıştı yaranın. Adım attıkça etin içinde saplı kalan kurşun ırgalanıyormuş gibi geliyordu Habip'e.

- Korkma be, diye bağırdı adam. Sıkı bas.

Tedirgindi. Bir an önce o da çıkıp gitmek istiyordu. Habip'se daha avlunun ortasında dönenip duruyordu. Söylemek istediği bir şey vardı. Bir türlü söze nasıl başlayacağını bulamıyordu.

- Bas şu ayağını be, diye bir daha bağırdı adam.

Habip, sözlerini tarta tarta konuştu:

- Basması kolay da... Ben Alamanya'ya gidecektim...

- Eeee?

- Şimdi bu kurşunla muayenelerde temiz çıkamam. Öldü artık bizim Alamanya.

Hava kararmıştı, adam, dalgın bir tavırla:

- Ya, demek öyle, diye mırıldandı. Sonra kendini toparlayarak:

- Seni böyle köye göndermek de tehlikeli, dedi. Daha önce nasıl düşünemedim. Tüh. Ne oldu, nasıl oldu derken iş meydana çıkıverir.

Bir an durdu. Bir şeyler düşünüyormuş, hesaplıyormuş gibi yaptı. Dudakları kıpır kıpır oynuyordu. Sonunda,

- Bak, dedi, şimdi beni iyi dinle. Sana hiç kimseye yapmadığım bir iyilik yapacağım. Bu gece burda kalacaksın. Yarın İstanbul'a göndereceğim seni. Buralarda görünmek yok. Bir yıl dolmadan da sılaya gelme. Sözümü dinlemeyip gelirsen başın belaya girer. Bunu bilesin. İstanbul'da sana adresini vereceğim adamı bulacaksın. Sana iş verecek. Günde 50-60 liraya para demezsin. Al sana Alamanya işte. Hem de kendi yurdunda, kendi insanlarının arasında. Biraz para yapınca da kurşunu doktorun birine çıkarttırırsın. Orda hem çok doktor var, hem de en iyileri, en ustaları var. Tereyağından kıl çeker gibi alırlar bacağındaki kurşunu.

Babacan bir tavırla sırtına vurdu.

- Haydi bakalım, yolun açık olsun!

Habip,

- Peki çoluk çocuk ne olacak? diye sordu.

- Meraklanma ben haber salarım. Haydi bakalım yürü şimdi.

Gelişi böyle olmuştu. Çoluk çocukla helallaşmamıştı bile. Buradaki iş zorluydu. Kurşun da kâğıt da ağır şeylerdi. Kitap, gazete paketleri de öyle. Dağ gibi de yüklüyorlardı. Kurşun hâlâ saplandığı yerdeydi. Büyük şehrin bir iyiliği varsa köye ilâç göndermişti. Yokuşun başında Bülbül Hafız diye biri vardı. Kara kara çubuklar satıyordu. İşte o çubuklardan iki tane almıştı. Birini karısına yollamıştı. Karısı mide ağrılarına iyi geldiğini yazmıştı köyden gelen mektupta. Kendi de sabahları çakının ucuyla kestiği parçaları, hap gibi yutuyor, insanda ne öksürük ne balgam bırakıyordu. Doğru dürüst yatacak yeri olmadığından orda burda yatıyor, bu yüzden durmadan öksürüyordu.

Gözünü yerden ayırmıyor, kaymamak için bastığı yeri dikkatle seçiyordu şimdi. Adımlarını da ağırlaştırmıştı bu yüzden. Sırtındaki formaları bırakacağı yer, sokağın en ucundaydı. Upuzundu sokak.

Şimdi köyde kahvede olacak, koynunda sakladığı tabakasından bir kaçak saracaktı. İnce kâğıdı başparmağın ile işaret parmağın arasına sıkıştıracaksın. Sonra bir güzel yayacaksın elma kabuğuyla yatırılmış saçak saçak, mısır püskülü örneği sarı kızı. Parmaklarının arasında güzelce yuvarlayıp tükrükledikten sonra ateşledin miydi değme keyfine. Ilık dumanlar, ağzını burnunu bir dolu sarar, kanın alevlenir. Evde tandır, közlenmiş bekliyordur seni. Karını da yanıbaşına çektin mi... Burada iş vermişlerdi, aş da buluyordu karnını doyuracak. Ama sürgünde gibiydi. Onlar istemişlerdi. Onlar göndermişlerdi. İş meydana çıkar diye uzaklaştırmışlardı. Burda da isteneni yapmak zorundaydı. Oysaki onun, kulübesini taşladığı, sonra da kafasının karpuz gibi yarılışını gördüğü o yaşlı başlı kitapçıyla ne alıp veremediği vardı. Hatta bir keresinde onun kulübesinden piyango bileti almıştı da, 5 liralık biletine 50 lira çıkmıştı. Bileti götürünce şıp diye saymıştı 50 kaymeyi ihtiyarcık.

Şimdi bu arkayı yıkınca ikinci arkaya gitmeyecekti. Yükü yıkıp çıkacaktı dükkândan. Ordan doğru Niğdelilerin kahveye. Sıcak bir çay. Elini yüzünü sıcak, buğusu tüten bardağa bastıracak bastıracaktı... İçi ısınırdı belki o zaman.

Ciltçiye girdiğinde ılık havaya karışan bir çiriş kokusu karşıladı Habip'i. Çıraklar, koşturup formaları sırtından tomar tomar alıp indirmeye koyuldular. Habip, öylece iki büklüm duruyordu. Patron, cam bölmeli, içinde gaz sobası yanan yazıhanesinden:

- Nerde kaldın be, diye bağırdı. Bütün makineler seni bekliyor, çocukları da aylak ettin.

Habip,

- Yerler kaygan çok... diyebildi. Yutkundu. Tam aklından, "Hem bugün ben çalışmıyorum-paydos ettim." demeyi geçiriyor, cümleyi kafasında evirip çeviriyordu. Patron, kuytudaki sıcak yerini bırakıp yanına kadar geldi. Ellerini birbirine sürttü. Üstüne dayandığı tahtasını elinden alıp orası burası patlamış kara lastiklerine, kar suyunu çekip keçeleşmiş yün çoraplarına dokundu. Desteğini yitiren Habip, boşlukta kalmış gibi yalpaladı.

- Bunlarla kayarsın elbet. Caddede otomobiller de kayıyor. Görmüşündür.

Sırtı boşalan Habip yarı doğrulmuştu. Patron, elindeki tahtayla Habip'in kafasına dokundu.

- Bir tabaka beyaz kâğıt gibi boş şu kafalarınız. Bütün otomobiller kayıyor değil mi?

Habip, kafa salladı. Patron, Habip'i çenesinden tutup dükkânın önündeki yaya kaldırımına çekilmiş pırıl

pırıl boyalı otomobile çevirdi yüzünü.

- Benimkine bak. Kaymadan geldim, ta Nişantaşı'ndan. Ayazpaşa yokuşunu gık demeden indi. Bizim yokuşu da bir gazlayışta çıktı. Neden? Tedbirli adamım çünkü. Zincirleri tekerlere taktın mı, kar, buz vız geliyor...

Sözün burasında ellerini bir daha sürttü birbirine. "Bakın bendeki akla" dercesine sırıtıyordu. Birden ciddileşti, yüzü asıldı. Önemli bir şey tasarladığı alnının kırışıklarından belli oluyordu. Kel kafası da biraz kızarmıştı.

- Vedat, diye bağırdı gelen formaları düzelten çırağa. Yazıhaneden şu eski zinciri al gel!

Habip, bir şey anlamamıştı. Bir an önce dükkândan fırlayıp kaçmaya bakıyordu. Ama getirdiği arkaların parasını ciltçi verecekti matbaacının demesine göre. Anlaşmaları öyleymiş. Çaresiz patronun keyfini bekleyecekti. Çırak iki paslı zincir parçası getirdi. Patronun asık yüzü, yeniden aydınlanıp güleçleşti. Habip'in ayaklarını göstererek:

- Şimdi sar şunun kara lastiklerine o zincirleri. Tabanına iyice dola, bileklerinden de düğümle...

Çırak, hemen yere çöktü, elindeki zincirlerle. Patron, Habip'e:

- Hadi nazlanma da kaldır ayaklarını, dedi. Sıkıca sarsın çocuk.

Habip bir şey demedi, dişlerini sıktı. Bir an için, ayaklarına zinciri geçiren çırağın ellerine var gücüyle basmak geçti. Yalnızca düşündü bunu. Sonra hiç bir şey olmamış gibi, bir omzundan boşalttığı semerini yeniden sırtına geçirip dengeleyerek ayaklarında şakırdayan zincirlerle sokağa çıktı. Ağır adımlarla yokuşu tuttu.

Ayaklarına bağlı paslı zincirler, buzlu kaldırımı tekdüze bir biçimde döverken etine saplı kurşun, birdenbire bacağı boyunca hızla yürüyüp gövdesini yara yara yüreğine zınk diye saplandı. Tıpkı elin tarlasında yarasına tuz bastığında yaralanan eti yerine yüreğinin dağlandığı günlerdeki gibi...

Gözleri Bağlı Adam / Toplu Öyküler, 2. Cilt

DEĞİŞİM

Ortalık yeni ışımıştı. Anacaddenin uzağındaki içerlek sokak boştu. Sessizdi. Uykulu evlerin duvarları dibinden ortalığı koklaya koklaya giden bir köpek geçti. Bir yandan kuyruğunu sallıyordu. Sokağın ortasına gelince durdu. Burası, sarı badanalı, taş bir yapıydı. Üç beş basamakla çıkılan kapısı açık duruyordu. Kapının üstündeki kocaman kırmızı tabelada büyük harflerle bembeyaz 'Polis Karakolu' yazısı vardı. Aşağıda, basamakların altında, köpeğin durduğu duvarın dibinde demir parmaklıklı bir bodrum penceresi görünüyordu. İçersi karanlıktı. Duvarın sarı badanası, burada iyice solmuş, sokağın çamurundan, kirinden yer yer kararmıştı. Yukarda, karakolun pencereleri aydınlıktı. Badanasında da herhangi bir kararmışlık göze çarpmıyordu.

Ortalık iyice aydınlandığı halde karakolun bütün ışıkları hâlâ yanıyordu. Karakolun içi de bulunduğu sokak kadar sessizdi. Nöbetçi polis, başını masadan kaldırdı. Gözlerini yumruklarıyla ovuşturdu. Masanın altındaki ayakkabılarını çıplak ayaklarıyla araştırdı. Bulup ayağına iğreti bir biçimde geçirdi. Gerinerek kalktı masadan. Bir sandalyenin arkalığında kuruyan çoraplarını aldı. Oturarak giydi. Ayakkabıları yeniden geçirdi ayağına. Sonra özenle bağladı bağlarını. Musluğa gidip bol suyla yüzünü yıkadı. Aynada saçlarını taradı. Kravatını düzeltip yakasını sıkıca kapattı. Odasına girip askıdaki şapkasını aldı, başına geçirdi. Yeniden çıktı odadan. Merdiven altındaki küçük aralığa yöneldi. Ağır adımlarla kapısında koca bir asma kilit olan bodruma yaklaştı. Kapıyı, önce, komiserin odasının kapısını çalarcasına, tıklattı. Sonra yumrukladı. Sonra da tekmelemeye başladı. Bir yandan da:

"Uyan artık ulan köpoğlu!" diye bağırıyordu. "Uyan da hazır ol!"

İçerden cılız bir ses geldi:

"Uyandım ağbi, hazırım!"

Polis, gerisin geri odasına gitti. Şapkasını çıkarıp askıya astı. Masasına oturdu. Kravatını gevşetti. Daktiloya birtakım kâğıtlar geçirdi. Dura dura bir iki şey yazdı. İmzaladı altlarını. Sonra iğneledi kâğıtları.

O sırada bekçi girdi içeri. Gece devriyesinden dönüyordu. Bütün geceyi sokaklarda dolaşarak geçirmişti. Gözünden uyku akıyordu. Kafasında biri, boyuna düdük çalıyormuş gibi kulaklarında bir çınlama vardı. Kapı dibindeki sandalyelerden birine yığılacaktı neredeyse. Adımlarını zorlukla sürükledi. Polis, başını kâğıtlardan kaldırmadan:

"Bana bir çay alıp gel, Hasan," dedi. "Çabuk!"

Bekçi:

"Başüstüne," dedi.

Durdu, bir an. Polis, başını kaldırdı:

"Ne var?"

"Aşağıda bir köpek var."

"Varsa var, kov gitsin."

"Kovdum gitmedi."

"Saçmalama. Git, çayı getir hemen."

Bekçi, başka bir şey söylemeden gitti. Az sonra, dumanı tüten çay bardağıyla dönüp geldi. Polis, şekerleri bardağa attı. Tam karıştıracakken durdu. Bekçi, dışarı çıkmaya hazırlanıyordu.

"Dur," dedi. "Bir tarafa kaybolma. Akşamki şoparı Adliyeye götüreceksin."

Bekçi, alışkanlıkla:

"Başüstüne," dedi. Ardından:

"Merak etmeyin, gitmem." diye mırıldandı.

Durduğu yerde fırtınaya tutulmuş gemi gibi sallanıyordu. İlk girişte gözüne kestirdiği kapı dibindeki tahta sandalyeye çöktü.

Polis, çayını karıştırmadan hızlı hızlı odadan çıktı. Bekçi, oturduğu yerden sıcak çayın içinde kendi kendine erimekte olan şekere bakarken gözkapakları ağırlaşıyordu. Aşağıdaki köpek, birini bekler gibi, duvarın dibinde öyle dikilip duruyordu. Bekçi ne kadar kovalasa, korkutsa da yerinden kıpırdamıyordu. Tekmeleyince de kaçmadı. Kesik kesik, inler gibi sesler çıkarıyordu yalnızca.

Polis, adamı itekleyerek soktu odaya. Bekçi, gözlerini araladı. Adamın üzerinde kirli bir ak gömlek vardı. Sakalı gelmişti. Kara yüzü, akşam kapatıldığı bodrumda havasızlıktan sararmış gibiydi. Ama gözleri fıldır fıldır bir o yana bir bu yana çevrilip duruyordu. Kasketinde örümcek ağı vardı. Ayağındaki kara pantolon talaşa bulanmıştı. Polis:

"Bu üst baş ne böyle," diye bağırdı. "Yerlerde mi yuvarlandın?"

"Yok, ağbi, orada yumuşak bir yer buldum, kıvrılıp yattım. İyi de bir uyku çektim sayenizde."

"Şuna bak. Biz, burada seni beklemek için uyumazken sen nasıl uyursun be? Sende hiç utanma yok mu? Orası yatakhane mi? Seni oraya yatıp uyu diye mi kapattık yani?"

Polis, tutukluya kızmıştı. Bekçiye döndü:

"Ah ah, biz akşam yanlış iş yaptık Hasan." dedi. "Bunu bağlayacaktık ki... Sabaha kadar ayaklarına kara sular insin. Gözünü kırpmasın. O zaman anlardı Hanyayı Konyayı... Yalan mı?"

Bekçi, uykudan ağzını açacak gücü bulamadı. Polisi doğrulamak için başını salladı iki üç kez. Polis, adama:

"Şurada üstünü başını silkele çabuk!" dedi. "Yargıç karşısına çıkacaksın. Utanman yok mu senin?"

Adam, pantolonuna bulaşan talaş kırıntılarını eliyle silkti. Kasketini çıkarıp pantolonunda çırptı. Polis, eliyle "Dışarı, dışarı" diye işaret ederken bekçiye:

"Şunu buradan çıkarıp yüznumaraya götür, işesin," dedi.

Adam:

"Hay Allah senden razı olsun," diyerek yaltaklanacak oldu.

"Bırak şimdi bunları." diye gürledi polis. "Ben, sizin gibileri iyi tanırım. Çişini iyice et, adamakıllı boşalt içini. Adliyede akşama kadar beklersiniz belki. Sonra karışmam. Orada donuma ediyorum desen yüznumaraya gitmek yok. Artık o numaraları yutmuyoruz. Anlaşıldı mı?"

Adam, başını bilgiç bilgiç salladı. Bekçinin yedeğinde yüznumaraya gitti. Kapıyı açık bırakarak bekçinin gözünün önünde çişini etti. Odaya döndüklerinde polis, tutukluyu baştan aşağı şöyle bir süzdükten sonra, beğendiğini gösteren bir gülümseme geçti yüzünden. Açık olan gömleğinin yakasını ilikletti. Kasketinin siperliğini düzelttirdi. Arkasında tuttuğu kelepçeyi, o gülümseme sırasında adamın bileklerine geçirdi. Kitledi. Anahtarı bekçiye uzattı. Masanın üstündeki kâğıt tomarını da alıp bekçinin eline tutuşturdu.

Arkalarından:

"Haydi, marş!" diye belirli bir neşeyle bağırdı.

Onlar, karakolun merdivenlerini inerken o çoktan başını masaya koyup uyuklamaya başlamıştı.

Aşağı indiklerinde bekçi, merakla çevresine bakındı. Duvarın dibinde bekleyen köpek, yerinde yoktu.

Bekçiyle tutuklu caddeye çıktıklarında vakit ilerlemişti. Otobüsler dolu, duraklar kalabalıktı. Güneş, büyük apartmanların duvarlarını yaldızlıyordu. Her iki kaldırım da, bir yerlere yetişmek için hızlı hızlı yürüyenlerle tıklım tıklım denebilirdi. Onlar da bir süre bu sabah kargaşalığının içinden ağır adımlarla geçtiler. Acelecilerden kimileri geçerken çarpıyordu. Önce özür dilemeye hazırlanıyorlar, ama kelepçeli adamla bekçiyi ayırdedince, "bu saatte ayakaltında ne işiniz var?" gibisinden burun büküyorlardı. Bu yüzden onlar da çarpanlara pek aldırış etmedi.

Cadde gözalabildiğine uzayıp gidiyordu. Ucu görünmüyordu. Sis gibi belli belirsiz bir duman vardı. Caddeyi sonu yokmuş gibi, yürü yürü bitmeyecekmiş gibi gösteren de buydu. Asfalt, çoktan ısınmıştı. Genzi yakan kuru bir hava solunuyordu caddede. Ardarda gidip gelen irili ufaklı taşıtların çıkardığı eksoz dumanları da kuru havayı büsbütün kirletiyor, hava yerine duman solunuyormuş gibi oluyordu.

İki durak daha yürüdüler. Bekçi Hasan, bacaklarında bir kesiklik duydu. Ekmek fırınlarından taşan taze ekmek kokusu içini bayıltıyor, başını döndürüyordu. Uykusuzlukla açlıktan olacak, gözünün önünde tuhaf tuhaf görüntüler beliriyordu. Gördüğü hayaller, götürdüğü tutukluyu bile unutturuyordu ona. Bir ara öylesine daldı ki, az daha önündeki beton elektrik direğine çarpıyordu. Tutuklu, elleri kelepçeli olduğundan, omuz vurarak bekçiyi az öteye itti, direğe çarpmasını engelledi. Bekçi, o zaman kendine geldi. Daha uyanık olmak için, kamburunu düzeltti. Palaskasını sıktı. Tabancasını yokladı. Evraklar cebindeydi. Tutuklunun caddenin kalabalığında, bekçinin yorgunluğundan yararlanıp kaçması işten bile değildi. Tutukluyu, kalabalık arasında yitirebileceği düşüncesi, iyice kendine getirdi bekçiyi. Adımlarını açtı. Tutuklu da ona uydu.

Kalabalık arasında iki kişilik tören kıtası edasıyla uygun adım yürüyorlardı.

"Bir cıgara yakabilir miyim?" diye sordu yanındaki.

Bekçi, yürüyüşünü bozmadı. Omuzlar dik, göğüs ilerde, yanındakine bakmadan konuştu:

"Şimdiye kadar senin gibi çok adam götürdüm Adliyeye. Cıgara içilmemesi konusunda bir emir almış değilim. İstersen iç. Ama senin için kelepçelerle zor olmayacak mı? Onları, Adliyeye varmadan açamam."

"Olsun! Sen cıgarayı cebimden alıp ağzıma ver. Na şurada, kıç cebimde."

İkisi de, aynı anda, birbirlerine yapışıklarmış gibi, yan yana durdu. Bekçi, adamın arka cebini yokladı. Buruşmuş ezik bir cıgara paketi çıkardı. Yamulmuş bir tane aldı, adamın dudaklarının arasına sokuşturdu.

"Bir tane de sen al," dedi adam.

Bekçi, bir tane de kendine aldı. Buruşuk paketi, yerinden hiç kıpırdamadan, eski yerine koydu. Sonra kibriti çakıp hem kendininkini, hem tutuklununkini yaktı.

Cıgara bekçiye iyi gelmişti. Bol bir duman çekip savurdu. Sinirlerine bir canlılık geldi. Bununla birlikte bir tutukluyla bir bekçinin caddenin ortasında, yanlarından gelip geçen insanların arasında, oldukları yerde durarak fosur fosur cıgara tüttürmelerinden korktu. Biri bir şey diyebilirdi. Tutukluyu yan sokaklardan birine itekleyerek soktu. Bir apartman kapısının içerlek merdivenlerine oturup orada tüttürdüler cıgaralarını.

Bekçi, kalkarken ne kadar yorgun olup her yanının döküldüğünü ayırdetti. Oturmak onu iyice gevşetmişti. Bu durumda, dünyada, yaya olarak Adliyeye gitmeyi göze alamazdı. Üstüne çöktükleri merdivenlerden kalkıp caddeye çıktıklarında bekçi tutukluya sordu:

"Yoruldun mu?"

Bekçinin yarı yaşında genç bir adam olan tutuklu:

"Yoo," dedi. "Yürümek çok iyi geldi. Ellerim

kelepçeli olmasa çoktan tüymüştüm bile."

"Sahiden böyle bir şey geçti mi aklından?"

"Neden geçmesin? Benim yerimde sen olsan başka türlü mü düşünürdün?"

Bekçi, içinden hak verdi adama. Ama karşılık vermedi. Bir süre konuşmadan yürüdüler. Bir otobüs durağına gelince bekçi durdu. Tutukluyu da omzundan tutup durdurdu.

"Buradan otobüse bineceğiz. Biletin var mı?"

"Yorulmadığımı söyledim. Yürümek de hoşuma gitti. Bilete gelince, bilet de ne oluyor? Biliyorsun, ben hiç kullanmam. Hiçbir zaman da boşu boşuna arabaya binmem. Biletim olsa da olmasa da. Ben yalnız iş için binerim otobüse. Cepçilikten yakalandığımı unuttun mu yoksa? Beni zorla otobüse bindirip yeni bir suç mu işleteceksin? Ama ben yoruldum diyorsan o başka."

Bekçi, ne yoruldum, ne de yorulmadım diyebildi. Çaresiz yürüdü. Tutuklu neşeli, sırıtkan, bekçi, somurtuk ve yorgundu. İşte bu anda hangisinin tutuklu, hangisinin tutuksuz olduğu, ilk bakışta, anlaşılmıyordu.

Adliyenin önü ana baba günüydü. Bir saati aşkın süredir yürüyüp geldikleri caddenin bütün kalabalığı buraya akmıştı sanki. Birkaç basamakla çıkılan geniş mermer tabanlı bir giriş olan büyük bir yapıydı Adliye. Çevresi park gibi yeşillikler ve renk renk çiçeklerle bezeliydi. Ön tarafını aynı renklilikte arabalar doldurmuştu. Biri gidip biri geliyordu. Çok katlı bir yapı olan Adliyenin pencereleri geniş ve yekpare camlıydı. İçerde, duruşma sürerken, gözün bir an dışarı kaysa, ayakta olduğundan, renk renk çiçekler, yeşillikler, masmavi bir gökyüzüyle karşılaşırdın. Sultanahmet'in ince minareleri ve güvercinler.

Taşları karartık bu koskoca yapıda gün boyu sürüp giden soruşturmalara, ateşli savunmalara, suçlayanla suçlananın haykırışlarına cıvıl cıvıl kuş sesleri karşılık verirdi pencereler açık olduğunda. Kanat çırpışları yalar geçerdi camları. Kimi zaman açık pencereden bir serçenin içeri girdiği olur, suçlunun bölmesindeki parmaklığa ya da yargıcın kürsüsüne konardı. Kimi de bir güvercin girerdi pencereden. Tavana yükselir, kanat çırparak orada dönenip dururdu. Cami avlusundaymış gibi bir serinlik yalar geçerdi duruşma salonunu. O zamana kadar, kapı dibinde, put gibi dikilen mübaşir, yargıcın küçük bir işaretiyle, küçücük kuşların, ister serçe, ister güvercin olsun, ya da ikisi birarada, üstlerine vargücüyle atılırdı. Yargıcın yüksek kürsüsü üstünde duruşma sırasını bekleyen herhangi bir kalın dosyayı kaptığı gibi kuşları dışarı kovalardı. Ürkek kuşlar, çıkış yolunu hemen bulamaz, kendilerini duvarlara vurup suçluların, avukatların, yargıçların, dinleyicilerin arasından birkaç kez geçtikten sonra pencereyi bulur canlarını kurtarırdı. Mübaşir de o sırada elindeki kalın dosyayı, oraya buraya savurmaktan bir iki kişiyi hafifçe okşamış olurdu. Pencere indirildikten sonra duruşma sürerdi. Bu kez de sıcaktan, terlemekten kimin ne söylediği, ne yaptığı belli olmazdı. Yargıcın kararları da ona göre olurdu. Kışınsa soğukta aynı kargaşa sürüp giderdi. Pencereler sıkı sıkıya kapalı olduğundan kuş muş girmezdi ama kaloriferler yanmadığı zaman koskoca binada ısınmak için herkes ellerini birbirine sürterdi. Elleri kelepçeli tutuklular bunu yapamazdı. Onlar donar, bekletildikleri yere yapışır kalırlardı. Jandarmalar da sürüklemek zorunda kalırdı. Sürüklenmekten de bir sürtünme doğardı. Bu kez de sürtünmeden çıkan seslerden kimin ne söylediği, ne yaptığı belli olmazdı.

Büyük kapısından sürekli olarak karıncalar gibi insanların girip çıktığı Adliyenin önündeydiler şimdi. Tutuklu, bekçiye hiçbir güçlük çıkarmadan, kuzu kuzu izlemişti onu. Giriş kapısının önündeki geniş merdivenin ilk basamağına gelinceye kadar da sürdü uysallığı. Basamağın dibinde iki simitçi vardı. Biri bir başta, biri öteki başta duruyordu. Mis gibi susam kokuyordu ortalık. Bekçi, adımlarını basamaklara atmadan bir an durdu. Girdap gibi dönenen kalabalıktan mı, açlıktan mı neden başı döndü birden. Dizlerine bir kesiklik geldi. Oysaki işin sonuna gelmişti. Dişini biraz daha sıkmalıydı. Öyle yaptı. Elini, tutuklunun omzuna koymak için kaldırdı. Adamın omzuna koydu. Buyurgan bir tavırla sert sert:

"Haydi yürü!" dedi.

Tutuklu, hiç oralı olmadı. Girip çıkanlara, durmadan gidip gelen arabalara, yapının karartık taşlarına, girişteki mermer tabanın aklığına en son da masmavi gökyüzüne dalıp gitmişti sanki. Bekçi:

"Hey ahbap, ne oluyor?" diye adamı tartaklamak zorunda kaldı.

Adam, bakışlarını uçsuz maviliklerden indirerek

bekçiye döndü:

"Biliyorsun, ben kalabalığın arasına giremem." dedi. "Kurbanın olayım beni zorlama. Sonra sen suçlu olursun."

Bekçi:

"Deli misin sen be?" diye çıkıştı.

Adam, kesin bir biçimde:

"Boşuna uğraşma, içeri girmem." dedi.

Bekçinin adamı dürtüklemesi, tartaklaması, daha sonra itekleyerek alttan alta tekmelemesi para etmedi. Bu arada adam, dişlerinin arasından tıslar gibi konuştu:

"Yeter artık! Daha ileri gidersen suçlu sen olursun. İçeri giren avukatlara seni şikâyet ederim."

Bu söz üzerine bekçinin aklı başına geldi. "Demek beni şikâyet edeceksin ha, önce ben seni şikâyet edeyim de gör," dedi içinden. Kıs kıs güldü. Tam o sırada Adliyeye girmekte olan eli çantalı, kafasında fotör olan kalın gözlüklü birini gözüne kestirdi. Avukatın ta kendisiydi bu işte. Acelesinden sekerek yürüyordu.

"Beyefendi, beyefendi!" diye bağırdı adama.

Adam, emekli savcıydı. Bekçinin sesini yabancılamadı. Eski günlerden kalma bildik bir sesti. Gülümseyerek olduğu yerde durdu. Yarım dönerek:

"Ne istedin?" diye sordu.

"Bana içerden bir jandarma yollayabilir misiniz efendim? Tutuklu gelmiyor. Ben de zor kullanmak istemiyorum."

Esaslı bir bekçiydi bu. "Aferin." dedi içinden. Adliyenin kapısına doğru bir iki adım atmışken geriye döndü. Yanlarına kadar geldi. Burnunun ucuna düşmüş gözlükleriyle ince ince süzdü ikisini de. Sonra bekçiye:

"Bravo size, tutumunuzu çok beğendim, jandarmayı hemen gönderiyorum." diyerek gitti.

Onlar basamağın dibinde oldukları yerde kaldılar. Adam, büyük kapıdan içeri girerken gözlüğünü yerine oturtup boyunbağını düzeltti. Boğazını da kesik kesik öksürerek temizledi. İçersi karanlıktı. Her tarafta lambalar yanıyordu. Kalabalığın yaydığı ekşimiş bir ter kokusu ile bayatlamış bir sıcaklık kaplamıştı ortalığı.

Gözlüklü avukat Adliyenin kapısından girdikten sonra gökyüzünden kara bir bulut geçti. Güneşin önünde durdu. Ortalık bir anda karardı. Ama bu durum çok kısa sürdü. Güneş, yeniden ortaya çıkınca ortalık eskisi gibi aydınlandı.

Tam o sırada, kapıda, sitenli bir jandarma belirdi. Basamaklardan inip çıkan kalabalığı şöyle bir taradı. Alt basamağın dibinde, şaşkın şaşkın çevresine bakınıp duran bekçiyi görünce ağır ağır yürüdü. Birkaç basamağı dura dura indi. Bekçiyle yüzyüze gelince, kısaca:

"Suçlu nerede?" diye sordu.

Bekçi, ellerini ovuşturdu. Ezilip büzüldü. Jandarma, gözlerinin içine bakıyordu. Bekçi, "kih kih!" diye güldü. Jandarmaya eğilmesini işaret etti. Sonra kulağına:

"Bir dakika benimle gel!" diye fısıldadı.

Jandarma, bundan hiçbir şey anlamadı. Bekçi, jandarmayı Adliyenin yan tarafına götürdü. Orası sessizdi. Az ilerde eski bir tarihi kalıntı vardı. Hipodromun tribünleri görünüyordu. Taş basamaklara güneş vurmuştu. Burada kimse duymazdı onları.

"İnanmayacaksın ama." dedi. "Bizim tutuklu köpek oldu."

Neredeyse ağlayacaktı.

"Kendi ellerimle buralara kadar getirdim. Nasıl olduğunu anlayamadım. Birdenbire köpek oldu!"

Jandarmanın kılı bile kıpırdamamıştı. Duruşu gibi dimdik bakıyordu bekçiye. Bekçi, elini, ayağını oynatarak:

"İşte bu!" diye çevrelerinde dönenip duran küçük köpeği gösterdi.

Fino cinsi, tüyleri kıvırcık bir köpekti. Kirden, kömürcü çırağı gibi kararmıştı. Karnının altındaki tüylerden vaktiyle beyaz, soylu bir köpek olduğu anlaşılıyordu. Evden kaçarak sahibinden uzak kalması sevimliliğini kaybettirmemişti. Önlerinde salta durarak konuşmalarını dinledi. İkisinden de uzak durmadı, tersine "hev hev" diyerek yanlarına sokulmaya çalışıyordu. Gözleri ıslaktı. İkisine de yalvarır gibi bakıyordu. Yalnız, bekçi yaklaşmak isteyince biraz uzağa kaçıyordu.

Bekçi ne derse desin, neler anlatırsa anlatsın jandarma hiç tınmadı. Köpeğin kuyruk sallayışına, yaltaklanmalarına da aldırmadı. Çünkü ikisinin de Kafka'nın 'Değişim' öyküsünden, bir gün birdenbire hamamböceği olan George Samsa'dan, ya da doğal evrim teorisinden, bu teorinin günün birinde, bugünkü gibi, tersine işleyeceğinden haberleri bile yoktu. Bekçi, bu yüzden bilimsel bir kanıt ortaya koyamamış, jandarmanın da, haklı olarak, "masal mı, palavra mı, yoksa üşütüklük mü, neyse" diye düşündüğü bu olaya aklı pek yatmamıştı. Daha doğrusu aklı iyice karışmıştı.

"Evraklar yanında mı?" diye sordu.

"Yanımda."

"Birlikte sorgu yargıcına gidelim. O bilir. Gel benimle."

Adliyenin kapısına, bekçi önde, elinde kâğıt tomarı, ardında siteniyle jandarma olduğu halde, işin kuralına uygun olarak vardılar.

Sorgu yargıcı, kâğıtlara bakıp bekçiyi dinledikten sonra, yazıcıya döndü. Daktiloya küçük bir kâğıt taktırttı. Yasa diliyle dolambaçlı birşeyler yazdırdı. Altını imzaladı. Yazıcı, bekçinin getirdiği kâğıtlara yargıcın imzaladığını bir iğneyle ekleyip kâğıt tomarını jandarmaya uzattı.

Yargıç, yüzünü pencereye dönmüştü. Birilerine, birşeylere gülümser gibiydi. Onlara bakmadan:

"Şimdi al götür bunu." diye buyurdu.

Gene, geldiklerinde olduğu gibi, bekçi önde, jandarma arkada duruşma salonunun çıkışına yöneldiler. Yeşilliklerin, renk renk çiçeklerin, masmavi gökyüzünün ve en aşağıda hâlâ ortalarda dönenip duran küçük, sevimli finonun gözlendiği geniş pencereli aydınlık duruşma salonunu arkalarında bırakıp yarı karanlık koridordaki sağır kalabalığın içine karıştılar. Koridoru dolduran kalabalığın arasında bir süre aynı biçimde yürüdüler. Oradan yan koridorlardan birine saptılar. Burada, jandarma, bekçinin arkasından omuzu başına geçti. Bu koridor da yarı karanlık sayılırdı. Ama kimsecikler yoktu. Az ötede bir jandarma bekliyordu. O jandarmanın yanına varır varmaz, o da bekçinin öteki omuzu başında yer aldı. Koridorun sonu, demir parmaklıklı bir kapıyla dışarıya açılıyordu. Orası aydınlık ve güneşliydi.

Koridorun sonuna geldiklerinde, ortaya yeni çıkan jandarma, bekçinin omuz başını bırakıp öne atıldı. Elini aydınlığın içine daldırdı. Demir parmaklıklı kapı gıcırdamadan açıldı. Belli ki her gün kullanıldığından sürekli yağlanıyordu. Burası Adliyenin arkasıydı. Yeşillikli alan da buradaydı. Demir parmaklıklı kapıya yanaştırılmış her yanı kapalı bir araba bekliyordu orda. Bekçi, dışarı çıkmış olmanın, aydınlığa yeniden kavuşmanın sevinciyle arabanın üstünde büyük harflerle yazan 'Kapalı Cezaevi' yazısını okudu. Yalnız büyük harfleri okuyabiliyordu. Gazeteleri de büyük başlıklarından izlerdi. İmzasını da büyük harfle atardı. Yazıyı okumuş olmaktan büyük bir sevinç ve mutluluk duydu. Yanındaki jandarmayla birlikte arka kapısı açık duran arabaya bindirildi. Öteki jandarma, onlar binince kapıyı kapadı, üstlerinden kilitledi. İçersi karardı. Göz gözü görmez oldu. Jandarma, bekçiyi bir bölmeye soktu. Bir körü idare eder gibi, elinden, kolundan tutarak 'Otur' deyip oturttu. Onu orada bıraktı. Kendisi kapının yanındaki bölmeye geçti. Oradan biraz aydınlık sızıyordu.

Araba hareket etti. Jandarmanın silâhının namlusu ışıkta yanıp söndü. Bekçi, umutlandı birden. Jandarmanın oturduğu yerdeki kapının camlı penceresinden dışarısı görülebilirdi. Bir an için: "Köpek oralarda mı şimdi?" diye düşündü. Jandarmaya sormalı mıydı? Oralarda olsa da "Yakalayabilirler mi bakalım?" diye geçirdi içinden. Jandarmaya seslenmekten vazgeçti.

Gözleri karanlığa alışmıştı. Geniş bölmede tek başınaydı. Araba, sarsıldıkça oturduğu uzun tahta sıranın üstünde zıplıyordu. Arabanın her yanı sacla kaplıydı. Güneş ısıtıyordu. İçersi sıcaktı. Terledi. Tavana açılmış küçük deliklerden biraz ışık biraz da hava sızıyordu. Arabanın üstünde okuduğu yazıyı düşünerek hafifçe gülümsedi. Ardından tam bir uysallıkla: "Gerçekten kapalıymış." diye düşünüp başını önüne eğdi. Uyudu.

Cambazlar Savaşı Yitirdi-Sağanak / Toplu Öyküler, 3. Cilt

YAĞMA

Yiyin, efendiler yiyin; bu hân-ı iştiha sizin;
Doyunca, tıksırınca, patlayıncaya kadar yiyin!
Bu harmanın gelir sonu, kapıştırın gider ayak!
Yarın bakarsınız söner, bugün çatırdıyan ocak!
Bugün ki mideler kavi, bugün ki çorbalar sıcak
Atıştırın, tıkıştırın kapış kapış, çanak çanak...
(Tevfik Fikret, "Han-ı Yağma")

Caddenin ışıkları birdenbire yanınca, günlerdir yüreğini kemiren kin, ağzını apacı eden ağu akıp gitmişti sanki. Daha garibi, büsbütün boşalmış gibiydi. Yıllardır ona ağırlıklarını duyurmuş olan iç organlarından da, bir anda, temizlenmiş miydi neydi? Hele kazınıp duran midesi? Hiç olmamıştı sanki. Kuruluğundan ve ağulu acısından yutkunamadığı boğazı, yağlı yatağında tıkırında işliyen bir piston gibiydi şimdi. Handiyse uçacaktı. Kalın, kaba bastonuyla yedeklediği, her zaman bir küskü gibi ağır olan topal bacağı bile engel olamıyacaktı uçmasına. Onca hafiflemişti. Ölümün aldatıcı esrikliği olmalıydı bu. Sonrası sızma ve uzun, bitmiyen, katı bir uyku. Az önce birdenbire içini ışıtan caddenin ışıkları, az sonra ağır ağır kısılacaktı. Sonrası bitmek bilmiyen o uzun, o koyu karanlıktı. Ama şu anda mutluydu işte. Yaşamayla ilişkiyi kesmenin, savaşı bırakmanın, aradan kalleşçe sıyrılışın - ne de kolayına geliyormuş insanın sonunda - direncin kırılışının mutluluğu. Yokoluşun, boş ölümün mutluluğu.

Tepede, günlerdir, kara mandalar gibi, kirli bulutlar dolaştıran gökle birlikte, o da, topal ayağını sürüyerek, gelişigüzel dolaşıyordu şehirde. Ara sokaklarından büyük caddelere, büyük caddelerden yine sokak aralarına girip çıkarak akşamı ediyordu. İlk günler bir iki yere başvurmuştu. Daha doğrusu ilk günlerin hızıyle çalmadık kapı bırakmamıştı. Kolu bacağı sapasağlam bir adam gibi her türlü işin kapısını çalmıştı. Boş yerler buluyordu. İş vardı. Ama çoğu, inadınaymış gibi, ikinci derecede de olsa kol gücünün yanında sağlam bacakları da gerektiren şeylerdi. Gerektirmese de, ilerde sütübozuğun biri çıkar da, bacağımı ya da elimi, kolumu sakatlıyan sizsiniz, sizin makinelerinizdir, aslında ben turp gibiydim, sağlam adamdım der, para sızdırmaya falan kalkar diyerek, ne olur ne olmaz, organları eksiksiz olanları istiyorlardı haklı olarak. Geri çevriliyordu. Olsundu. Geri çevrileceğini bile bile başvuruyordu. Bu da bir çeşit öc almaydı. Üstelik kör kör parmağım gözüne gibisinden, en olmaz işlere, sözgelişi pedallı makinelerde çalışmaya istekli çıkıyordu. Boş yere oyalayıp sinirlendiriyordu karşısındakileri. İdare odalarında, memurlar, yüksek kürsülerin ardında çalıştıklarından, topallığını ele vermeden onlara yaklaşabiliyor, pedalcı olduğunu göğsünü gere gere söylüyordu. İşlemlere başlandıktan bir süre sonra da, memurlar tam dalmışken, birdenbire bastonumu kılıç gibi çekerek, kürsüyü güm güm bir iki dövüp, bir şey demeden, tersyüzüne geri dönüyordu. Sonunda başvurmalarını ister istemez azalttı. Başkalarını tedirgin edeyim derken kendi tedirgin olmuştu. Artık, yalnız, topallığının engel olmıyacağı, kendine uygun işlerin kapısını çalıyordu. Oralarda da boş yer bulamıyordu. Çok öncelerden kendi gibi başka birtakım sakatlar kapılanmışlardı. Boşalacağa da benzemezdi buralar. Çünkü sakatlar, öteki ayağına tetik sağlamlar gibi, oraya buraya seğirtemediklerinden yerlerinde külçe gibi kalıyorlardı. Yapıştıkları yerlerden sökemezdiniz. Üstlerine yürüseniz, bastonu kafalarına, sırtlarına indirebilir, yine de, yerlerinden kıpırdatamazdınız.

Bir tek şey yapabilirdi şimdi. Öyle de yapıyordu. Her sabah, düzenli olarak, evden iş aramaya diye çıkıyor, hiç bir yere başvurmadan, şehri bir baştan bir başa, tam bir aylâk duyguluuluğuyla, dolaştıktan sonra akşama eve eli boş dönüyor, daha iş bulamadığını söylüyordu. Bu gidişle bulamıyacaktı da. Karısının arasıra gittiği çamaşırdan, tahtadan edindikleriyle idare etmeliydiler. O da incecik bir kadındı ya. Uzun boylu dayanamazdı bu işlere. Kaldı ki her gün tahtaya, çamaşıra çağıran da yoktu. Hele çamaşır işi büsbütün seyrelmişti. Artık otomatik makinelerle ev hanımları, varlıklı bayanlar da, ellerini sodalı sulara değdirmeden, boyalı uzun tırnaklarını örselemeden, elbiselerinin üstünde, daha çok süs diye iliştirilmiş apak işlemeli birer önlük olduğu halde, çamaşır işini kolayca beceriveriyorlardı. Tahtalarsa parkeydi şimdi. Cilâlamakla her iş bitiyordu. O da ayda yılda bir cilâlamak gerekirdi. Kapıcılar da bu işin ustası olmuşlardı nasılsa. Kala kala paralı dul kocakarıların öteki katlarını kiraya verdikleri koca koca, konak kalıntısı evlerinin yıpranmış tahtasını, sineğin yağını bile hesap edecekleri pahaya, silmek kalıyordu. Bir de kayışa dönmüş, sabun ve odun düşmanı yağlı gömlekler, fanilâlar, mendillikleri kalmamış sümüklü paçavralar, yırtık pırtık çoraplar ve ağları sapsarı, yapış yapış donlarıyle bekâr çamaşırı yıkamak vardı. Acaba bu işlerde kendi de yardımcı olamaz mıydı karısına? Tahtaya gidemezdi. Nasıl gitsindi? Bir kere kocakarılar evlerine sokmazlardı. "Aman Allahım, görülmüş şey değil, görülmüş şey değil!" diye, cırtlak cırtlak bağrışarak, kapıyı bu sakallı bıyıklı tahta silicisinin yüzüne çattadak kaparlardı. Kocaları öldükten sonra evlerine erkek bir kedi bile sokmadıklarını sağlamlamak için değil de, daha çok, "hırlı mı hırsız mı, nedir, bilinmez!" diyerek, kirli çıkılardaki paralarını düşündüklerinden yaparlardı bunu. Bütün bunlar neyse ne yine de. En başta topallığı engeldi tahta silmesine. Çünkü bir elde baston, zıp zıp zıplayarak, tahta silen biri, şimdiye dek, ne görülmüş ne de duyulmuştur herhalde. Ama çolak olmadığına göre çamaşır yıkayabilirdi oturduğu yerde. Yalnız bir evde iki çamaşırcıyı besliyecek kadar çok çamaşır neredeydi? Değil bir evde iki çamaşırcı, yoksul fakir mahallede bir çamaşırcı bile gülünçtü.

Otomobil hafif bir fren yaptı. Caddenin ortasındaydı. Yan kaldırıma geçerken az ötede duraklıyan şoför, kafasını pencereden uzatıp:

- Öteki bacağın da kaşınıyor anlaşılan babalık! diye bağırdı.

Ne olduğunu kavrıyamamıştı birden. Bilinçsizce sırıttı şoföre. Şoför hışımla gazladı. Önce topal bacağının ağırlığını, sonra elini uyuşturan kalın bastonunu duydu. Kaldırımda öylece dikelmişti. Bulutlar iyice sarkmış, yağmur çiseliyordu. Işıklar az önceki gibi değildi. İlk yanışlarındaki çekicilik yitmişti. Başlangıçta, o kısa, gelip geçici sürede, yaygın bir biçimde, her yerin karanlığını dağıtıyormuş gibi geliyordu insana. Az sonra tepeden bastıran karanlık, ağırlığını duyurarak, yaygın ışıkları, bilinen kirli sarı ampullerin, seğirerek ışıyan daracık neonların içine kapatıveriyor, yalnızca ampulü olanların ya da gazı bulunanların, kibrit, mum, ateş edinebilenlerin sınırlı ışığı yapıyordu.

Kaldırımın ortasında dikilekaldığı yerde, yorgunluğunu ayırdetti birden. Hızlı hızlı geçenler vardı. Gelip geçenlerden çarpanlar oluyordu. Yağmur hızlanıyordu gitgide. Arkaya, bir apartman kapısının sundurmasına sığınmak için geriledi. Hem yağmurdan, hem de gelen geçenden korunmuş olurdu. Biraz da dinlenirdi. İkinci basamağa oturdu. Karanlıkçaydı kapı önü. Kapının yanındaki dairenin ışığı, göz kamaştırıcı bir biçimde yanıyor, kaldırımın bir bölümünü aydınlatıyordu. Camda dışarıyı gözliyen küçük bir kız vardı. Yüzü cama yapışıktı. Belli belirsiz gülümsüyordu. Dışarda gördüklerinden çok - içaçıcı şeyler değildi hiç biri - sıcak odanın gevşetici havasında kafasının içinde kurup yaşattığı ışıklı görüntülere gülümsüyor olmalıydı. Kızı iyice görmek için ayağa kalktı. Basamakta bacağının elverdiğince de dikeldi. Beş kollu bir avize yanıyordu tavanda, altındaki masada tombulca bir kadın sofrayı hazırlıyordu. Kız onu görmüş olmalı ki dönüp annesine bir şey söyledi gülümseyerek. Kadın hışımla pencereye yaklaştı. Dışarıyı kızgın, biraz da korkuyla araştırdı. Onu görünce büsbütün somurtup karardı yüzü. Kızını, azarlarcasına, cadılaşan suratıyla omuzlarından tutup geriye iterek kalın perdeleri çekti. Sınırlı bir bölümünü de olsa kaldırımı aydınlatan ışık büsbütün odaya döndü.

Yutkunmak istedi. Olmadı. Acılı ağu boğazını doldurmuştu yeniden. Midesi kazınıyordu. Bağırsakları guruldadı. Caddeye yürüdü. Yağmur iyice hızlanmıştı. Otomobilin klâksonu sert sert çaldı. Topal bacağını biraz daha hızlı sürükledi asfaltta. Otomobil sıyırtarak yanından geçti. Yaya kaldırımına, kıl payı, attı kendini. Tam karşısına gelen apartmanın üstüne doğru, kıvrılmadan, dikine yürüdü. Yaklaşır yaklaşmaz, kapının yanındaki dairenin perdeleri, çabuk çabuk çekildi. Bir süre, öylece, dimdik apartmanla karşı karşıya kaldı. Herhangi bir taş, biçimsiz iri bir moloz örneği. Neden sonra, kaldırım boyunca, saçak altlarından, yürümeye koyuldu. Şimdi apartmanların üstlerine üstlerine yürümüyor, bir omzuyla, ışık sızdırmayan pencerelerin iyice karattığı, soğuk taş duvarlarına yaslanarak gidiyordu. Eve dek yürüyemezdi bu yorgunlukla. Oturup dinlenmeliydi bir yerde. Kepenkleri inik bir dükkân vardı ortalarda. Gidip ona sırtını verdi. Yıpranmış paltosunun yakaları iyice kalkık, kapkara dikildi orada. Bastonuna yaslandı bütün gövdesiyle. İki yandaki açık dükkânların göz kamaştırıcı aydınlığı, kepenkleri inik dükkânın önünü, büsbütün karanlık gösteriyor, onu, kalabalığın aç gözlerinden, gizliyordu. Ama o, herkesi ve her şeyi görebiliyordu. Bin bir türlü ışığın altında oynanan oyunu, bütün çığlığı, bütün iğrençliğiyle izliyebiliyordu. Önü genişçe bir alandı. Karşıda balıkçıları, yeşil salata, kırmızı turp satıcıları, ekmek fırını, meyvacıları, sigara ve rakı satanları, turşucusu, bakkal dükkânlarıyle kocaman, ışıklı bir pazar vardı. Oradan nevalesini kapan, tıka basa doldurulmuş kesekâğıtlarını göğsüne sıkı sıkıya bastırarak, kaldırıma yanaşan dolmuşlardan birine atlayıp çarçabuk uzaklaşıyordu. Herkes gücünün yettiğince bir şeyler çalıp çırpıyor, bir şeyler kaçırıyordu. Bir talan, bir yağmaydı bu. Kapanın elinde kalıyordu, Işık da, yiyecek de, ev de, otomobil de, iş de, kaldırım da... Yukardan hızla inen otomobiller, tam önündeki düzlükte yavaşlıyor, orada biriken aceleci kalabalıktan, bir bölüğünü, kapıp kaçırıyordu. Daha çok dayanamıyacaktı. Gizlendiği karanlıktan ışığa çıkmalı, o da, her an artan bir hızla, tüketilmekte olan göğün, toprağın, ışığın, yiyeceğin, evin, otomobilin, paranın, namusun yağmasına katılmalıydı. Bütün gücünü sağlam bacağında topladı. Topal bacağını çabuk çabuk sürüyerek, tıkız çekiçler gibi sıkılmış yumruklarıyle kalabalığa ve karmakarışık duran otomobillerin üstüne yürüdü. Herhangi bir taş, biçimsiz iri bir moloz gibi, soğuk, katı ve ışıksız duyuyordu kendini. Tepeden yuvarlanan kocaman taş gibi, önüne gelen canlı, cansız ne varsa, ezip geçecek güçteydi. Kalabalığı, dirsekleyip, yumruklayarak, otomobillerin ortasına daldı. Gelişigüzel birinin kapısının koluna yapıştı, hızla, kolu koparırcasına açtı kapıyı. Şoför yakın semtlerden birinin adını bağırıyordu. Şoförün tam ensesine ve üstüne geleceklerin ağızlarına, burunlarına, bir yerlinin davulunu dövmesi gibi, birbiri arkasına indirecekti yumruklarını. Açtığı kapıya, daha o topal ayağıyle davranmaya vakit bulamadan, kalabalıktan üç kişi, kendisini itekleyerek, ellerindeki dolu paketlerle saldırdı, kısa bir şaşkınlık anından sonra, aynı hırçınlıkla, bu kez, ön kapının koluna yapıştı. Ön tarafı da, kalabalıktan iki kişi, az öncekiler gibi davranarak doldurmuştu. Yapacak bir şey kalıyordu. Şoförden yana seğirtip oradan adamı alaşağı etmek. Arabanın önünden hızlı hızlı geçerek şoförün kapısına yaklaştı. Daha o kapının koluna yapışamadan, şoför, arabayı ağır ağır hareket ettirmiş, birinci vitesten çıkarırken de, her zamanki gibi, önceden hazırladığı bakır bir onluğu, yarı yarıya açık camdan kapının koluna uzanmış olan eline tutuşturuvermiş, ardından da, araba, ok gibi, fırlayıp gitmişti. İkinci araba da, aynı biçimde, onu dışarıda bırakarak dolmuş, ikinci şoför de, ikinci bir bakır onluk sıkıştırmıştı avucuna. İki, üç derken, dördüncü, beşinci onlukla avucu doldu. Terliyen avucundaki paraları, paltosunun cebine indirirken, altıncı arabanın şoförünün ünlediği durakların adını, onunla birlikte, bağırıyordu artık.

- Ç........'ya bir, iki...

- R........'ye bir...

Şimdi yukardan kopup gelen arabaların birinden ötekine sekerek koşuyor, kapılarını özenle açıp, gidecekleri durakların adını, vargücüyle, kalabalığa duyuruyordu. Yağmur habire yağıyor, saçlarından süzülen sular, yüzünü yol yol ıslatıyordu. Karşıki pazarın renk renk ampullerle donanmış kırmızı turp yeşil salata yüklü sergileri, fırıncının cama dizdiği yüzlerce ekmek hemen önündeymiş gibi duruyordu. Yağmur damlacıklarının yakınlaştırmasından olacak balıkların diriliğiyle menevişlerini, yeşil salataların kıvrımlarıyle kırmızı turpların taze çamurunu, içki şişelerinin ışıltısını, kadınların gözlerini, yığın yığın portakalların yeşil yeşil, küçük yapraklarını, dizi dizi elmaların alyanaklılığını açıklıkla ayırdedebiliyor, bütün pazarı, büyük bir açgözlülükle, ağzı sulanarak, gözetimi altında tutuyordu. Cebinde biriken paralara, ikide bir, okşarcasına dokunup, girişmek hakkını elde ettiği, az sonra başlayacağı, kendi çapındaki yağmaya, için için hazırlanıyordu o da. Hem de az önce çıkıp geldiği, ışıkta olduğundan, şimdi baksa da göremiyeceği inik kepenkli dükkânın önündeki o karanlıkta, bir başka gözetleyicinin varlığına aldırmadan.

Gözleri Bağlı Adam-Yağma / Toplu Öyküler, 2. Cilt.

DÜKKAN

Anlatmak istediğim bir tavukçu dükkânıdır. Bulunduğu yer Vatan caddesinin tam girişinde, sıra dükkânların en başında, köşededir. Kuşkusuz eskiden bütün bu dükkânlar yoktu. Önceleri pazar yeri karşıda, eski tramvay deposunun çevresinde derme çatma, kuytu bir şeydi. Şimdi beton dükkânların yer aldığı; bu yeni çarşıysa arnavut kaldırımlı, çamurlu, dar iç sokaklar halindeydi. Caddeyle ilgisi yoktu. Zaten Vatan caddesinin açıldığı yer de bir zamanlar yangın yerleri boş arsalıklar, bostanlarla kaplıydı.

Hoş bugün bile caddenin her iki yanını alan yüksek apartmanların, her türlü dalaveranın çevrildiği, önlerinden turist otobüsleriyle özel arabaların eksik olmadığı neon ışıklı otellerin arkasında kalan ara sokaklarda eski yangın yerlerinin kalıntılariyle karşılaşabilirsiniz. Bir cami yıkıntısı, bir türbe, yarım bir kemer, yarı yarıya toprağa gömülmüş eski bir çeşmenin süslü mermer aynası gibi. Ya da üstünde tek bir ağaç kalmış, artık çimen bitmeyen yemyeşil bir bostandan arta kalan, apartman kapıcılarının sabah akşam çöp boşalttıkları çamurlu, pis bir arsalık gibi.

İşte ben caddenin arkasındaki bu ara sokaklardan birinde oturuyorum. Yolum da genellikle sözünü ettiğim dükkânın önünden geçer.

Önceleri ilgimi çekmemiş olmalı ki ne dükkânı olduğuna bile bakmamışım. Eskiden bu dükkânda ne iş yapıldığını bilmiyorum onun için. Ama bu dükkânda daha önce başka bir iş yapıldığından eminim. Diyebilirim ki eski bir esnaf olan dükkânın sahibi, daha önce kömürcülük yapıyor olabilirdi o ara sokaklardaki tahta kepenkli dükkânında. Ama fuel-oil, gaz gibi yakıtlar çıkıp kaloriferler büyük apartmanlarda faryap edilince bu köşeye taşındı. Kömürcülük tarihe karıştı. Köşe dükkânda yeni bir iş tuttu.

Cadde açılır açılmaz, sihirli değnek değmiş gibi, birdenbire değişmedi bu yöre. Değişim yavaş yavaş oldu. Dükkânlar da bu değişime uygun olarak iş değiştiriyorlar, yeni gelen alıcıların durumuna göre kişiliklerini yeniliyorlardı.

Dediğim gibi dükkân benim ilgimi çektiğinde tavukçuydu. Ama Aksaray alanına son olarak yapılan üst-alt geçitlere, özellikle de alt geçitin yürüyen merdivenlerine yakışır bir biçimde, gördüğüm bütün tavukçu dükkânlarından daha düzenli, daha da gösterişliydi. İlgimi de bu yönüyle çekmiş olmalıydı. Bir kere dükkânın üç yanı boydan boya camdı. Neresinden bakılırsa bakılsın ak fayans kaplı uzun, tertemiz tezgâhla yine tavandan döşemeye kadar aynı ak fayansların sıralandığı pırıl pırıl duvarlar göze çarpıyordu. Gece gündüz yanan floresan lambaları bu parıltıyı büsbütün artırırdı. Çalışanlar sakız gibi önlük giyinmişlerdi. En küçük bir lekenin olmadığı ak önlüklerin küçük cepleri üstüne kırmızıyla işçilerin adı işlenmişti. Dükkânda çalışır görünen topu topu üç kişi vardı zaten. İkisi, dediğim gibi, lekesiz ak önlükleriyle tezgâhın ve terazinin başında duranlar. Öteki de kasanın başında oturan dükkânın sahibi. Yüzü kazına kazına traş edildiğinden derisi soyulmuş gibi hep kırmızı. Bıyıkları kırpık kırpık. Gerdanı sarkık, ensesi katlı. Yalnız o önlüksüzdü. Ama mintanı ak ve yakası kolalıydı. Hep ütülü elbiseleri, daima çiçekli olan renkli kravatı, insana, çarktan yeni çıkmış bir makina adam havası veriyordu. Zaten kasa başında yalnız, para alıp verdiği ve her açılıp kapanışta kasa çın çın öttüğü için adamın otomatikliği, kurgulu=luğu büsbütün pekişiyordu.

Dükkânda öteki tavukçu dükkânlarındaki gibi önceden kesilip tüyleri yolunarak çengellere başaşağı asılmış, kafasının koparıldığı yerden kan damlayan ya da damladığı yerde pıhtılaşmış kan lekeleri bırakan tavuklar yoktu.

Tavuklar, canlı olarak, bir duvarı boydan boya kaplayan, kat kat bölünmüş bir tel kafeste bulunurdu. Her katın önünde bir uçtan bir uca uzanan bir yemlik vardı. Her bölmede ayrıca çinko suluklar bulunuyordu. Yemlik de suluklar da ağaz ağaza dolu olurdu. Taşardı. Kafesteki cins cins, çeşit çeşit, boy boy tavuklarla horozlar günboyu gıtlayarak yemlerini yer, sularını içerdi.

Vitrin sayılabilecek tek şey, yumurtaların içinde durduğu dikdörtgen biçiminde cam bir sandıktı. Her köşesinde yer alan lambaların yansıttığı ışıklar, yumurtaları kabukları yokmuş gibi sapsarı gösteriyor, bir altın yığınını gözler önüne seriyordu sanki.

Bir bu yumurtalar, dükkânın ortasında dururdu, görünürde başka şey yoktu. Dükkânın geriye kalan bütün boşluğu alıcılara ayrılmıştı. Bu tertemiz, ışıklı alan özellikle akşamları alıcılarla dolup taşardı.

Tavuk etiyle aram pek iyi olmamakla birlikte bir akşam üstü ben de uzun süredir ilgimi çeken, çalışmasını dışardan izlediğim bu tavukçu dükkânının alıcıları arasına katıldım. Amacım, dükkândaki çalışmayı bir de yakından izlemekti.

Dükkân kalabalıktı. Ama hiç bir kargaşalık yoktu. Herkes belli bir sıraya göre hareket ediyordu. Dolgun bir tavuk, irice bir horoz ya da körpe bir yarka almak isteyen her alıcı, önce tel kafesin önüne gidiyor, bir süre kafeslerinde hemen hemen üst üste duran hayvanları inceliyor, gözüne kestirdiğini ak önlüklü tezgâhtara gösteriyordu. Tezgâhtar, seçilen hayvanı üst kattaysa önce en alt kata alıyor, oradan da küçük bir kapıyı aralayarak üç tavuk ya da horoz sığacak büyüklükte boş bir hücreye itiyordu. Bu hücrede, öteki kafeslerdeki gibi, ne yemlik ne de suluk bulunuyordu. Tavuk ya da horoz geniş bir yerde tek başına olduğunu anlayınca şöyle gerinerek kanatlarını çırpıyor, tavuksa hafiften gıtlıyor, horozsa hafif tertip sesini denemeye kalkıyordu.

Ama birdenbire sunulan bu özgürlüğün mutluluğu uzun sürmüyordu. Boş hücrede biraz da böbürlenerek aptal aptal dolaşan hayvanın bacağını ya da kanadını tam o sırada duvar tarafındaki boşluktan uzanan bir el kavrayıveriyordu. Hayvan o zaman çırpınıyordu ama boşuna. Hücreden duvarın arkasına çekilmesiyle son bağırtısının gelmesi bir oluyordu. Hayvanın boğazlanması hemen hemen göz açıp kapayana kadar sonuçlanıyordu. Benim gibi özel olarak izleyen olmazsa hayvanın boğazlanırken çıkardığı son bağırtıyı kimse duymuyordu. Hayvanın boğazlanmasının üstünden üç dört dakika geçmeden tezgâhın arkasındaki duvarda bir kapak açılıyor, hayvan tüyleri yolunmuş olarak ak fayanslı tezgâha bırakılıyordu.

Kafası duvarın arkasında koparıldığından kanlı boğazına tezgâhtar hemen ak kâğıttan yapılma bir külâh geçiriyordu. En küçük bir kan lekesi olmayan pırıl pırıl tezgâhın üstünde daha kıpır kıpır olan, pürtüklü derisi seyiren hayvan adetâ canlı canlı paketleniyordu. Paket eve götürülünceye kadar sıcaklığı geçmiyordu.

Önceki alıcının seçtiği hayvan, duvarın ardında boğazlanırken sıradaki öteki alıcı, kendininkini seçti. Sarı, tombul bir tavuktu bu. Kaç gündür kafesteydi ve ne zamandır olanları izliyordu bilmiyorum ama bu tavuk, başına gelecekleri biliyor gibi geldi bana. Onun için olacak boş hücreye alınır alınmaz olduğu yere çöktü. Gözlerini de kapadı. Ne bir ses ne bir soluk. Hemen hücrenin dibine çöktüğü için de içeriye uzanan el, tavuğu çekip almakta güçlük çekti. Kol boylu boyunca hücrenin ta dibine kadar uzandı. Tavuk bir külçe gibi çekilip alındığında hücrede kabuğu kanlanmış bir yumurta bırakmıştı.

Tezgâhtar yumurtayı hemen ordan alıp cam tabuttaki öteki yumurtaların arasına kattı. Hücre yeniden boşalmıştı.

Bana sıra geldiğinde ben seçimimi çoktan yapmıştım. Hücrenin hemen yanıbaşındaki kafeste bulunan bir horozdu bu. Çok iri yapılı olmayan çil bir horozdu. İri değildi ama bulunduğu kafeste başını hepsinin üstünde tutuyor, havayı ve çevreyi kollarcasına hafif hafif gıtlayarak başını çevire çevire bir sağa bir sola bakıp duruyordu. O başını öyle sık sık döndürdükçe kırmızı ibikleri sallanıyordu.

Tezgâhtar benim horozu kafesinden alıp hücreye sokarken hayvan dönüp adamın elini öfkeyle gagaladı. Hücrede yalnız kalınca da kapatıldığı yerin en dip noktasına gidip durdu. Tüylerini kabarttı. Ayaklarını açarak gerdi. Başını çabuk çabuk çevirerek dört bir yanı kollamaya başladı.

El, hücrenin içine uzandığında horoza ulaşamadı. Ama duvarın ardındaki elin sahibi üstüne gitmedi. Bir iki yem taneciği serperek gehgehledi horozu. Hayvan gene bana mısın demedi.

Bu kez, duvarın ardındaki, bulunduğu yerden yana çekilerek, hücreye açılan deliği boş bıraktı.

Şimdi hem horoz, hem adam, boş kalan küçük deliği kolluyordu. Nasıl olduysa horoz, bir anda, duvardaki deliğe doğru yarı uçarak attı kendini. Adam elini uzatıp kanadından ya da başka bir yanından tutmuş olmalı bir iki.tüy uçuştu hücrenin içine. Ama duvarın arkasında horozun bağırtısı kesilmemişti. Yüksekli alçaklı sürüyordu daha. Bu da ele geçmediğini gösterirdi.

Nitekim çok geçmeden temizlenmiş tavukların uzatıldığı duvardaki kapak, yarım bir kapı olarak telâşla açıldı. Belden yukarsı görünen, üstüne başına tavuk tüyleri bulaşmış, elinde bıçak olan bir adam belirdi. Onca temizliğin, onca aydınlığın karşısında, dükkânın içini ilk görüyormuşçasına, şaşkınlıkla bakakaldı. Duvarın arkası daracık bir kesim yeriydi. Tüy ve kan vardı her yanda. Pis pis de kokuyordu. Adamın kel kafasına, kırçıl kaşlarına, hatta kirpiklerine tavuk tüyleri yapışmıştı, yüzünde de kurumuş kan lekeleri vardı. Bir tavuk kadar tüylenmişti adam. Kapı açılır açılmaz kasada duran patron, yüksek sandalyesinde yarım dönüp:

- Ne var, ne oluyor orda? diye öfkeli bir sesle bağırmıştı.

Adam, kamaşan gözlerini kırpıştırarak:

- Horoz pencereye uçtu, diyebildi.

- Ne duruyorsun öyleyse, arkaya koş, caddeye uçmadan yakalayıp getir!

Tezgâhtara çabucak kesim yerinin kapısını örttürüp içerdekilere gülümsedi. Ben de horozun yakalanışını görmek için dükkândan çabucak çıktım.

Arkaya kıvrıldım. Horoz, kesim yerinin sokağa açılan penceresine tünemişti. Adam, elindeki sopayla aşağı indirmeye çalışıyordu. Zıplayarak elindeki sopayı horoza değdirmek istiyor, belki dürterek pencereden içeri düşürürüm diye düşünüyordu. Bir süre uğraştı, olmadı. Adam, sopayı elinden bırakıp yana çekildiği anda horoz, tepeden bir kanat çırpışiyle, aşağı uçtu. Kısa aralığı bir sağa bir sola uçarak, zıplaya zıplaya geçti. Adam, ne yaptıysa kurtuldu elinden. Horoz, aralıktan sıyrılıp caddeye çıkmıştı bile. Adamın korktuğu da buydu. Yüreği şimdiden güm güm çarpıyordu. Soluğu şimdiden kesilmiş gibiydi. Cadde, ana baba günüydü. Otomobillerle insanlar birbirlerine düğümlenmişlerdi sanki. Hava hafiften kararıyordu. Horozu bu kargaşalıkta yakalamanın olanaksızlığına adamın çoktan aklı yatmış olmalıydı, bezgin bir durumda, ordan oraya zıplayarak kaçan horozun ardına düştü. Ona kalsa çoktan bırakırdı peşini. Ama patrona ne derdi sonra...

Horoz, izleyicisine, durakta sıralanmış minibüslerin arasında ustalıklı bir şaşırtmaca verdikten sonra yaya kaldırımının kıyısındaki sık taflanların arasına daldı. Adam, ara sıra taflanların boşluklarından yararlanarak elini uzatıyordu ama boşuna. Horoz, paçayı ele vermiyordu bir türlü. Üstelik yaya kaldırımını akşamları el arabalariyle pazar yerine çeviren sebze, meyve satıcılarının taflanların arasına attıkları çürükleri de ara sıra gagalamak fırsatı buluyordu.

Horoz, mutlu olmalıydı. Adam da, görünüşe göre, horozun bu mutluluğunu onu hemen yakalayarak yok etmek istemiyordu. Bu kaçaklıktan o da hoşlanmış gibiydi. Açık havada horozla birlikte bir gezintiye çıkmışlardı sanki. Ilık bir hava vardı. Ama dükkândan epey uzağa düşmüşlerdi.

Horoz, tam o sırada taflanların arasından çıktı. Adam, elini uzattı. Kuyruğunun teleklerine değdi parmak uçları. Tutamadı. Ayağı, tarhı yaya kaldırımından ayıran betona takıldı. Tökezledi. Horoz, yaya kaldırımını çevik bir hareketle geçip çöplü bir arsadaki hurda demir deposunun alçak duvarı üstüne sıçradı. Ordan da, bir kanat çırpışiyle demir yığınlarının üstüne uçtu. Paslı demirler üst üste yığılmıştı. Dağ gibiydi. Sıçraya sıçraya bu demirden dağın doruğuna ulaştı. Şimdi yerden epey yüksekteydi. Gökyüzüne daha yakındı.

Ardındaki de boş durmuyordu. Önce deponun alçak duvarını aştı. İçersini şöyle bir kolaçan etti. Kimseler görünmüyordu. Demir yığının dibinde durdu. Başını bir iki kere yukarı kaldırıp aşağı indirerek kendince ölçüp biçti. Ardından, bir dağcı gibi tırmanmaya başladı yığına. Adım adım ilerliyordu. Gözü doruktaydı. Dorukta, heykelmişçesine, duran horozda. Üstüne bastığı demirler, ikide bir kaydırıyordu ayaklarını. Aşağı düşüyordu bu yüzden. Bazan da tutunduğu bir demir çubuk elinde kalıveriyordu. O zaman dengesi bozuluyor, düşecek gibi oluyordu. Düşmemek için yüzükoyun demirlere yapıştı. Elleri, ayakları, bütün gövdesiyle. Bir an orda öyle kaldı.

Soluklandı. Doruğa yaklaştığında ter içinde kalmıştı. Genzine demir tozları dolmuş boğazı karıncalanmıştı. Horozu ürkütmekten korktuğu için öksüremiyordu da. Tükürmekten ağzı kurumuştu. Bu da büsbütün gıcık veriyordu. Elleri, ayakları çizik içinde olmalıydı. Biber gibi yanıyordu. Belki de kanamıştı. Ama her yanına pas bulaştığı için ellerinin ayaklarının kanayıp kanamadığını anlayamıyordu. Bir adım daha attı, gövdesini biraz daha yukarı çekti. İyice yapıştı demirlere. Derin bir soluk aldı. Kolunu uzatacaktı şimdi. Yay gibi gerilmişti. Uzattı. Tamam, oldu derken yukardan bir demir tekerlendi üstüne doğru. Tam da kelinin ortasına düşecekti. Ayağının yerini değiştirerek gövdesini az yana aldı. Ayağının altındaki demirler kaydı bu kez de. Adam, kar yığınından kayarcasına aşağıyı boylarken horoz da eni konu tedirgin olmuştu. Üstüne tünediği demir çubuk deprendi, bir başkası tekerlendi. Horoz, yığının üstünden yandaki bahçede duran sıra sıra otomobillerden birinin damına bıraktı kendini.

Otomobiller renk renkti. Boyaları pırıl pırıl, resmini görüyordun bakınca. Ayna gibi. Horoz da baktı kendine, tünediği mavi otomobilin damında. Bir dere kıyısında gibiydi. Suyun aynasında kırmızı ibiği, sarı gagası...

Ardındaki, demir yığınından aşağı yuvarlandıktan sonra üstünü silkeledi. Sağına, soluna baktı. Önemsiz bir iki çizikten başka bir şey yoktu. Soluk soluğaydı ama. Koşar adım çıktı depodan. Deponun bitişiği, horozun az önce uçtuğu yer, otomobil komisyoncusuydu. Geçen yıla kadar çay bahçesiydi burası. Önünde yemişçiler, baloncular olurdu. Kalabalık dışarılara taşardı. Çocuklar, kadınlar, gençler... Geceleri kukla oynardı.

Şimdi Renault, Murat, Anadol reklamları kaplamıştı duvarlarını. Bahçeyi sıra sıra, renk renk otomobiller doldurmuştu. Girişte kocaman bir "Renk Oto" tabelası. Demir parmaklıklı kapı olduğu gibi duruyordu. İki kanadı da açıktı. Eskisi gibi. Çakıllı yola da dokunmamışlardı, ileriye doğru upuzun uzanıyordu. Cetvel gibi dümdüzdü. Otomobilleri, insanların akşam serinliğinde, ılık yaz gecelerinde oturup konuştukları, çay içip kukla seyrettikleri, gece yarılarına kadar kahkahanın, çocuk cıvıltısının kesilmediği masaların bulunduğu yere sıralamışlardı. Fıskıyeli havuz kaldırılmıştı. Çay ocağının tek katlı derme çatma yapısıyle sahne birleştirilerek gösterişli bir yazıhane biçimine sokulmuştu.

Çakıllı yolun ortasına kadar, ayaklarını sürüyerek

yürüdü adam. Horoz ordaydı, mavi bir Murat'ın damına tünemişti. Orda, tüylerini kabartmış, ibiğini sallayarak iki yana bakınıyordu.

O sırada yazıhanenin kapısı açıldı. Orta boylu, iyi giyimli, ince bıyıkları olan bir adam dikildi yazıhanenin kapısında. Bir eli kapının kolundaydı. Öteki eli yeleğinin küçük cebinde, afili bir duruşu vardı. Çakıllı yolun ortasında dikilen kir pas içindeki adama,

- Hey, orda ne arıyorsun be! diye bağırdı.

Kekeleyerek:

- Şey, hiç, horoz... diyebildi adam.

İnce bıyıklı, bu saçma sapan karşılık üstüne yazıhanenin kapısını çekip adama doğru sert bir iki adım attı. Yeleğinin küçük cebine soktuğu iki parmağiyle bozuk paraları şıngırdatıyordu.

-Suratına bir tane patlatmadan çık dışarı! diye kükredi.

Ardından daha yavaş bir sesle, soluğunu boşaltırken:

- Orospu çocuğu! diye ekleyip yere bir tükrük attı.

Adam, çakıllı yolda geri geri giderken yalvarırcasına:

- Horoz, dedi. Elini mavi Murat'a uzattı. Na orda, otomobilin damında. İzin verin de tutayım.

İnce bıyıklı, üstüne üstüne yürürken, öfkeyle:

- Konuşuyor bak daha... diyordu dişlerinin arasından.

Böyle böyle kapının dışına kadar sürdü adamı.

- Dur orda!

Durdu adam.

- Söyle şimdi!

- Horozu kaçırdım. Orda işte. İzin verin de yakalayayım şunu. Patron hemen istiyor. Aksaray'daki tavukçu bilirsiniz. Ne olur...

İnce bıyıklı:

- Yağma yok, dedi.

- Burası kümes mi ulan! diye bağırdı sonra. Sen horozu kovalayacaksın, o kaçacak, sen kovalayacaksın, o kaçacak sonra canım arabalarımın boyaları çizik çizik... Yağma yok, parayı sokakta bulmadım ben...

Adam, ezile büzüle:

- Onu yakalayamazsam işimden olurum, dedi. Müşteri bekliyor. Ekmek param o benim.

İnce bıyıklı, pis pis sırıtarak:

- Ya bizimki ne parası oluyor, diye söylendi otomobilleri göstererek. Merak etme horozunu yemem. Zararsız hale getirip vereceğim. Sen bir yere kıpırdama burdan, bekle. Şimdi getiriyorum horozunu.

- Sağ ol!

Sesini kendi bile güç duyabildi.

İnce bıyıklı, yazıhaneye doğru uzaklaştı. İçeri girip çıktıktan sonra elinde demir bir çubukla kırmızı, sarı, bej, yeşil arabaların arasından dolanıp mavi Murat'ın dibine, horozun arkasına sindi.

Adam, parmaklıkların dışında, ayaklarının ucunda yükselmiş, ince bıyıklının yaptıklarını izliyordu.

İnce bıyıklı, önce. iki büklüm sindiği yerden doğruldu. Elindeki kalın levyeyi tarttı. Avucunun içinde sıktı. Boşluğa salladı. Havayı ikiye bölmüştü bir anda demir çubuk. Sinerek biraz daha sokuldu arabaya. Kapıyı, arabayı sarsalamadan yavaşça açtı. Yeni arabanın el değmemiş kilidi tık bile etmedi. İnce bıyıklı arabanın döşemesine bastı. Bir eliyle arabanın tavanına tutundu. Gövdesini dengeleyerek ağır ağır doğruldu olduğu yerde. Ayaklarının ucunda biraz daha yükselip levyeyi sıkıca kavrayan elini, aşağıdan yukarı, olanca hızıyle horozun gövdesine savurdu. Kalın demir çubuk horozu mavi arabamın damı üstünden öteki kırmızı, bej, sarı, yeşil Muratların, Renaultların, Anadolların damlarına hiç değdirmeden çakıllı yolun tam ortasına uçurdu. Horoz, çakılların üstüne ıslak bir bez parçası gibi düştü. İnce bıyıklı gelip horozu çakılların üstünden kaldırdı. Kanadından tutup parmaklıkların dışında bekleyen adamın ayakları dibine fırlattı.

Adam, hemen atıldı horozun üstüne. Yanına diz çöktü. Gözleri yarı yarıya perdelenmişti, başı sarkıyordu. Gagası açılıp açılıp kapanıyordu. Hayvanın başını doğrultmak istedi. Sarktı yeniden. Elleri titriyordu. Günde kaç tanesini bir vuruşta koparıp çöpe attığı baş avucundaydı şimdi. Gagası açılıp açılıp kapanıyordu. Kanlı ibiği, az önce kestiği başların elinde bıraktığı bulaşıkları örtmüştü. O zaman boştaki avucuna bütün tükrüğünü boşaltı, horozun durmamacasına açılıp kapanan gagasına yaklaştırdı avucunu.

Adamı orda bıraktım. Dükkânın oraya dönmeden başka bir yoldan eve gittim.

O gece hastalanmışım. Karım doktor getirmiş.

Bir süre, 38,5 ateşle yattım. Yataktan kalktığımda bir hafta geçmişti.

On beş gün kadar sonraydı. Yolum dükkânın önünden geçti. Tavukçunun yerinde bir banka vardı şimdi.

Dükkânı değiştirmeye pek gerek görmemişlerdi. Yalnız dışarı ışıklı yazılarla bankanın adını kocaman yazdırarak yukardan aşağı asmışlardı. Camlarda da üç taraftan yaldızlı yazılarla aynı ad yazılıydı.İç bölümleme olduğu gibi korunmuştu. Tavukçunun tezgâhının yeriyle bankanınki aynıydı, yalnız fayans yerine formika kaplıydı üstü. Arkasında daktilolar, elektronik hesap makineleri çalışıyordu. Duvarlardan da fayanslar sökülmüş, cilâlı parkeyle kaplanmıştı. Kafesin bulunduğu yerde müşterilerin beklemesi için deri kanapelerle koltuklar vardı. Hayvanların yalnız olarak bekletildikleri küçük ölüm hücresinin bulunduğu bölüme de vezne yapılmıştı. Hayvanların boğazlandığı yer de ayrı bir oda olarak düzenlenip banka müdürüne ayrılmıştı. Müdür esneyerek orda oturuyor, memur kızların uzattığı hesap defterleriyle çeşitli borç, kredi, faiz, tahvil, döviz ya da senet işleriyle ilgili kâğıtları durmamacasına imzalıyor, paralarının alınması için vezneye gönderiyordu. Veznedar da camlı hücresinden kanapelerle koltuklarda oturup bekleşenleri, elindeki kâğıtlara bakarak, adlariyle teker teker çağırıyordu vezneye.

Vatan caddesini Aksaray alanındaki köprüye bağlayacak üst geçidin kazısına da hemen o günlerde girişilmişti. Buldozerlerin toprağı alt üst ettikleri, yapım alanı tahta perdeler, dikenli tellerle çevriliydi. Oraya buraya küçük tepecikler halinde mıcırlar yığılmış, şantiye binasının önüne yeni biçilmiş keresteler istif edilmişti. Orta yerde bir harç makinesi çalışıyor, mıcırlarla çimentoyu karıyordu. Irgatlar da karıştırıcıya kireçli tenekelerle su taşıyıp boşaltıyorlardı. Banka da yapımına başlanan bu yeni geçidin tam karşısında yer almıştı.

Az ötede toprak kazıldığından ortalık çamur içindeydi. Üst cadde kazı dolayısıyle trafiğe kapatılmıştı. Otobüs durağına gidebilmek için karşıya geçmek eni konu güçleşmişti.

Bütün trafik tek yöne verildiğinden caddenin girişi karmakarışıktı. Tam orada yayalarla taşıtlar sanki içiçe giriyordu. Bir yandan da boyacılar, gazeteciler, işportacılar, dilenciler, işsizler, aylaklar, üçü beşi bir araya toplaşan gurbetçiler, yapı işçileri, ırgatlar, her günkü gelip geçenler kalabalığı kaldırımları doldurmuştu. Naylon torbalara ya da iç ceplerine yerleştirdikleri filtreli sigaraları satanlar,

- Samsun, Maltepe, Kent, Malboro! diye kalabalık arasında dolanıp duruyorlardı. İçlerinden yalnız biri, dükkân banka olunca açıkta kalan tavuk kesicisi, elinde tuttuğu bir Samsun'la Maltepe'yi, yanından gelip geçenlere ince boynu üstünde ipiri duran kel kafasını selâm verircesine eğip sessizce uzatıyordu. Sigara alsalar da almasalar da yanlarından çabucak uzaklaşıyor, seğirterek bir başkasına koşuyordu. Kalabalık, iki yöne de baş döndürücü bir hızla, sürekli olarak akıp gidiyordu.

Gözleri Bağlı Adam-Yağma / Toplu Öyküler, 2. Cilt

OLSA OLSA BİR OLAYDIR

Kahvelerde, içki evlerinde bozuk para gibi bol bol harcanan sözlerin ayrı bir kişilikleri -daha doğrusu kişiliksizlikleri- vardır. Onlar da tıpkı o türlü yerleri tıka basa dolduranlar gibi, karmakarışık, çoğunluk, içi olmayan boş kalıplardır. Yığın yığın söz, sigara dumanlarıyla birlikte, sorumsuzca savrulur ortalığa. Ne bir virgül, ne de bir nokta. Ağız dolusu konuşulur. Anlamı olmayan bir takım gevelemelerdir bunlar elbet. Uyku yerine geçen, sınırsız bir gevşeme duygusu veren, sindirime yardımcı bir çeşit geviş getirme. Bu yüzden adamın, sözde arkadaşını yüreklendirmek için, söylediklerinin önemini kavramadan savurduğu o sözlere aldırmamak gerekirdi. Arkadaşının üç ayını, sıkıntılı, konuştuklarından anlaşıldığına göre, özgürlüğünün de kısıtlanacağı bir yerde geçirmesi gerekiyordu.

"Ne çıkarmış üç aydan" deyiverdi adam. "Göz açıp kapayıncaya kadar geçip gider. Önümüz haziran, sonra temmuz, sonra da ağustos... Daha ne?"

"Sen öyle sanırsın" dedi arkadaşı. "Zamanı sayıyla, soyut olarak değerlendirmenin kolaylığını ben de senin kadar biliyorum. Ama inanmıyorum. Sayıların sözde zamanı kapsayan o yapay düzenine. İnanamıyorum. Keşke senin gibi yapabilsem. Sence, daha doğrusu herkesçe, bir dakika altmış saniyedir. Altmışa kadar saydın mı bir dakika doluverir. Altmış tane bir dakika bir saat, yirmi dört tane bir saat bir gün, otuz tane bir gün bir ay yapar... Gerisi çorap söküğü gibi gider bunun. Bir hamlede yılları geçmek işten bile değildir. Ama sen bir mevsim nedir hiç düşündün mü? Bir mevsim, sözgelimi şu önümüzdeki uzun, ıssız ve sıcak yaz, sayı sayarak elde ettiğimiz az önce sözünü ettiğin o üç ay mıdır yalnızca? Çekinmeden evet diyebilir misin buna? Diyemezsin, diyemeyiz. Ne evet ne hayır. O yazdır yalnızca, ne gün, ne saat, ne dakika, ne de ay. O bir olaydır. Olsa olsa bir olaydır yaz, mevsimler ve zaman. Olay. Ne korkunç!"

Sözünün tam burasında başı küt diye masaya düştü. Sızmış olmalıydı. Adam, "sızmasaydı daha konuşacak mıydı, konuşabilir miydi?" diye düşündü. "Yoksa sözleri bittiği, söyleyecek şeyi kalmadığı için mi direnmekten vazgeçip sızmıştı?" Her iki durum da, adamı korkutmaya yetiyordu. Arkadaşını orada, öylece, yüzüstü bırakıp çıktı.

Panayır-Sur / Toplu Öyküler, 1. Cilt